MILA
BRAAM

Déshabille-moi

Destiné à un public averti.

À toutes les porteuses de culotte,
à toutes celles qui oublient (parfois) d'en mettre...
À tous ceux qui s'interrogent sur leurs secrets.

1

Le jour où je serai une vieille fille qui sent le rance, flapie, flétrie, peut-être même mise au rebut, rangée entre un collant distendu et une gaine d'un autre âge, et que plus personne ne me regardera jamais avec envie, je songerai à notre première rencontre. À toi et moi.

Quand tu m'as sortie cette fois-là de mon emballage, il faut dire que j'étais si douce, et fraîche. Si fraîche que le premier contact avec ton sexe t'a tiré un petit cri surpris et fugacement extasié. Tu m'as tout de suite aimée. Voilà tout ce que je me rappelle, s'agissant de mes débuts. Ça n'a pas beaucoup de mémoire, une culotte. Ça a les souvenirs que celle qui la porte veut bien y déposer, traces successives, parfois visibles. Parfois non. Juste à peine odorantes. Moi, je n'avais encore rien connu de tel. Je ne savais pas encore à quoi j'étais destinée. Et que ce que je serais conduite à partager désormais, ce n'était rien de moins que ton intimité. Vraiment toute ton intimité. La fleur de tes secrets.

Oui, Célia, tu étais la toute première à ajuster ma bande de coton renforcé sur tes lèvres. À t'assurer qu'aucun repli rosé ne dépasse de part et d'autre. Mais ça, je ne le savais pas. Je vous l'ai dit : j'étais une petite culotte bien naïve, née du jour. Je n'imaginais pas encore que j'abriterais d'autres vulves, pas forcément aussi délicates que la tienne. Tu as beau avoir conservé ta toison naturelle, tu n'as pas entre les jambes cette fente grossière et poisseuse qu'affichent certaines. La tienne est fine, fendue avec précision, et n'offre aucun débord maladroit. Tes nymphes dépassent sans excès et éclairent l'ensemble d'une pâleur délicieuse. Et puis, je peux le dire maintenant que je me colle en permanence à ton bas-ventre, il émane de toi une humidité constante et vivifiante. Comme ces vitrines réfrigérées qui conservent les aliments exposés aux yeux du chaland, dans certains magasins d'alimentation. Ton vagin est une brise marine un jour de soleil.

Ce matin-là, tu étais en retard pour te rendre à ton travail. Tu fais un beau métier. Tu appartiens à un laboratoire de recherche qui planche sur les mécanismes de la mémoire. Mais ta tâche t'occupe tant l'esprit que la tienne (de mémoire) est souvent défaillante. La veille, tu avais par exemple oublié de lancer une machine à laver. Et te voilà au réveil, sans culotte dans laquelle fourrer tes fesses et cette petite chatte si aimable.

10

— Va voir au bazar... Je suis sûr qu'ils auront de quoi te dépanner.

Celui qui vient de te donner ce conseil avisé et qui n'en imagine pas alors les conséquences, c'est Fred. Ton compagnon. Vous n'êtes pas mariés. Vous n'avez pas d'enfants. À chaque fois que vous abordez le sujet, vous vous dites que vous avez bien le temps. Et vous l'avez encore, c'est vrai. Mais, ce matin, tu n'as pas celui de laver un slip à la main et de le sécher ensuite.

Alors tu descends à la petite boutique de vêtements pas chers en bas de chez vous, ton pantalon de jogging à même la peau. Au fond, tu trouves plutôt agréable de te balader la *zézette* à l'air. Mais tu ne te sens pas d'aller ainsi au bureau toute une journée. Ça ne te ressemble pas. Ce qui te ressemble, comme je ne vais pas tarder à l'apprendre à ton contact, c'est plutôt :

1. De dire encore *zézette* à ton âge, et non pas vagin, chatte ou moule ou je ne sais quel autre surnom moins enfantin.

2. D'éviter les conversations où il est question de sexualité en général et de ton sexe en particulier (même avec Fred).

3. De ne faire l'amour que lorsque ton amant en exprime l'envie.

4. De refuser de faire l'amour, y compris quand ton amant en a une *très* grosse envie.

5. De ne ressentir qu'une sorte de vague chaude entre les jambes en guise d'orgasme.

6. De ne jamais te masturber (c'est une perte de temps).

7. De fermer les yeux quand tu introduis un tampon en toi.

Ce qui te ressemble, aussi, c'est de ne pas passer des heures à choisir une culotte. Et puis, après tout, je ne serai jamais qu'un modèle de secours. Le genre qu'on ne met qu'une fois et qu'on range ensuite dans le tiroir, pour ne plus jamais l'en sortir. Tu ne fourrages pas longtemps dans les grands bacs en grillage métallique, qui débordent de petits étuis en plastique poussiéreux.

Pourquoi te plais-je immédiatement ? Tout bêtement parce que je porte sur le devant ce petit hippocampe brodé. Et peu importe si ça non plus ne fait pas très adulte. L'hippocampe est, dans le cerveau, le siège de la mémoire épisodique à long terme. En clair, là où réside en nous le souvenir de tous les événements passés de notre existence. Tu y vois un signe. Un signe de quoi, tu l'ignores encore.

Ton achat effectué – je ne vaux pas bien cher, quelques pièces au fond de ta poche – tu remontes vite chez toi, tu es déjà en retard. C'est à ce moment-là, devant le grand miroir de la salle de bains, que tu m'enfiles et que tu éprouves l'onde bienfaitrice de mon coton tout neuf. Depuis le salon, Fred s'enquiert :

— C'est bon, t'as trouvé ton bonheur ?

— Oui, oui !

Tu empaquettes le tout dans un vieux jean qui disparaîtra bientôt sous ta blouse blanche, et fonces jusqu'à l'arrêt de bus.

La journée se passe sans encombre ni événement particulier. La routine de tes expérimentations. Tu le sens bien, avec moi contre toi. Lorsque tu vas faire pipi, à deux ou trois reprises, tu prends un soin tout particulier à t'essuyer les quelques gouttes rebelles qui s'écoulent de ton sexe. Tu veux me garder le plus propre possible. On ne sait jamais… Si d'aventure tu oubliais encore de programmer une lessive ce soir, tu dois pouvoir compter sur moi pour le lendemain. Quand on la ménage, une culotte peut bien durer deux jours, non ?

Je n'ai pas d'avis sur la question. Je ne suis qu'une culotte à la mémoire toute neuve. Juste abandonnée au plaisir de frotter ta vulve à chacun de tes mouvements. Je ne sais pas si l'un de tes amants te l'a déjà dit, mais ta chatte sent bon. Quelque chose de très léger, comme du jasmin, en plus sucré peut-être.

Au bout d'une heure ou deux, un premier flash me traverse. Celui d'un homme, la bouche collée à ce petit sanctuaire parfumé dont j'aurai, quelques heures durant, l'usage exclusif. Il te lèche doucement. Aux gémissements discrets que tu pousses, je devine bien que cela t'est plutôt agréable. « Sans plus », suis-je tentée d'ajouter. Pas d'explosions, pas de muscles contractés par la jouissance, pas de grands cris. *Idem* quand il te pénètre enfin. D'ailleurs, les images sont à l'avenant. Troubles, jusqu'à se dissiper peu à peu, voile trop léger pour se fixer au fil de tes souvenirs. Instantanés de ton plaisir si chiche…

Le soir même, à la maison, après le dîner, Fred exprime son envie de toi avec des mots et des gestes sans ambiguïté. Pas vraiment fins. À la manière dont ton petit trésor se contracte autour de ma bande d'étoffe qui passe entre tes jambes, je sens bien que tu ne partages pas son projet. Mais comme souvent, tu t'y résignes. Tu cèdes pour vite passer à autre chose, lire un livre, ou dormir.

Il te couvre sans même prendre la peine de m'enlever. Il écarte le coton blanc et entre en toi sans préavis, ni aucune caresse préliminaire. Il t'investit comme un vandale. Et moi, je suis aux premières loges pour apprécier les dégâts. À chacun de ses allers-retours à l'intérieur, mes coutures frottent son engin, gonflé, énorme à mon échelle. Je lui scie la hampe, mais il ne semble pas s'en formaliser. Il est dur, insensible. C'est un pieu. Si ce type m'enfilait, à n'en pas douter, il me déchirerait de part en part, tant il est pourvu. Enfin, c'est ce qu'il me semble. Enfin, qu'est-ce j'y connais, moi ? Je ne suis jamais qu'une petite culotte éclose ce matin.

En attendant, c'est toi qu'il saccage à grands coups de reins. Il te pistonne sans relâche. Il grogne de plus en plus fort. Il écarte tes jambes comme on découpe le poulet du dimanche. Tu sens presque les os de tes hanches craquer. Son désir est une horde et il ne maîtrise plus rien.

14

Quand il vient enfin, écrasé sur toi de tout son poids, c'est tout juste si t'échappe un soupir. Je sens de longues coulures qui se faufilent depuis tes profondeurs et atteignent mon tissu, assoiffé, qui boit tout. Une petite tache se forme bientôt. Dans quelques minutes, toi, tu auras tout oublié. Mais moi, je garderai la trace de cet ébat sans émoi.

— Ah non... c'est pas vrai, non !

Avec tout ça – c'est la première chose qui te traverse l'esprit au réveil – tu n'as toujours pas de linge de corps propre. Encore oublié cette satanée machine. L'alternative est simple : soit tu me gardes un jour de plus, soit tu fouilles dans le panier de linge sale pour exhumer l'une de mes consœurs usagées. Tu n'envisages même pas l'option numéro trois qui consisterait à ne rien mettre sous ton jean. Alors, après une douche rapide, tu m'enfiles à nouveau, non sans une grimace quand tu aperçois cette petite auréole jaunâtre qui éclaire mon hippocampe d'un halo suspect. La rigidité du coton à cet endroit ne laisse pas de place au doute quant à la nature du liquide qui s'est déposé là. Tant pis. Nous voilà parties toutes les deux pour une nouvelle journée. Si la nature m'avait dotée d'une bouche, j'en hurlerais de joie. Mais je ne suis qu'une petite culotte qui vous parle. C'est déjà bien assez bizarre comme ça, non ?

Il est encore tôt quand tu bondis à bas du bus et que tu t'apprêtes à franchir le porche de briques rouges du labo. C'est idiot, mais tu as l'impression que tout le monde sent et devine la présence d'un sous-vêtement maculé sous ton pantalon. Tu guettes les regards sur toi. Tu te tiens à distance des nez qui pourraient me flairer. Depuis la terrasse d'un café voisin, une voix féminine te hèle et te fait sursauter.

— Célia !

L'appel vient de ce petit bout de femme brune et potelée, aussi dense que tu es diaphane.

— Justine... Ton entretien n'était pas ce soir ?

Vous avez suivi les mêmes études et ton labo recrute. Alors, tout naturellement, tu l'as recommandée à tes supérieurs.

— Non, ils ont appelé hier pour l'avancer à ce matin...

Son inconfort manifeste dépasse largement le stress inhérent à une telle épreuve. Tu peux le voir. Tu la connais bien. Cette fille n'a peur de rien.

— Qu'est-ce qui t'arrive ? Tu flippes, c'est ça ?

— Non, si... Enfin, c'est pas pour l'entretien lui-même.

— Ben... quoi alors ?

— Tu vas trouver ça débile...

— Vas-y, accouche.

— Je suis partie tellement vite que je me suis barrée sans mettre de culotte. La vraie conne...

Non, elle ne va quand même pas te demander...

— ... me prêter la tienne ?

— Quoi ?

Tu es abasourdie par l'incongruité de la requête.

16

— Tu peux me filer ta culotte oui ou non ?
Regarde comment je suis fringuée !

Elle porte une jupe, comme un fait exprès.
Et courte avec ça. Du genre fatale, si d'aventure
il lui prenait de croiser ou décroiser les jambes,
de se pencher pour ramasser je ne sais quoi,
et encore tout un tas d'autres postures encore
plus envisageables. Même dans un entretien
d'embauche. À vue de nez, au moins une chance
sur deux de la jouer *Basic Instinct*.

Tu n'arrives pas à lui dire que tu m'as déjà portée. Tu ne peux surtout pas lui parler de la petite
tache jaune, autour de l'hippocampe.

— Écoute, je...

— Tu portes bien une culotte sous ton jean ?

— Oui, oui... Mais tu veux pas plutôt en acheter une ?

— Tu te doutes bien que j'y ai pensé. Mais tout
est fermé dans ce coin à la con. Le Monop' à côté
n'ouvre que dans une demi-heure.

— Y a le bazar près de chez moi, si tu veux... Il
est à quelle heure ton rendez-vous ?

— À huit heures pile, elle regarde sa montre.
Je suis déjà à la bourre...

Plus le temps de tergiverser. Tu n'as d'autre
choix désormais que de me prêter à Justine.
Refuser, ce serait comme t'opposer à ce qu'elle
rejoigne ton équipe. Ton amitié pour elle ne peut
s'y résoudre. Tu ne peux pas lui faire ça.

J'en frissonne jusqu'au cœur de mes fibres.
Je songe à ces femmes qui ont cueilli mon
coton quelque part en Inde. À celles qui m'ont
tissée, puis cousue, et enfin emballée. Avant de

17

m'expédier en Europe. Toutes ces femmes dont je n'ai connu que les mains, les yeux, parfois le sourire. Tu es la première qui m'offre son sexe. Il se colle à moi, comme pour mieux me retenir. Il ne veut pas me lâcher. On est liés, maintenant, lui et moi. Je ne saurais dire si l'idée d'échouer contre la chatte d'une autre, nouveaux fluides, nouvelles odeurs, m'excite ou me dégoûte. Probablement les deux. Dans quelques instants, je serai une culotte infidèle. Une garce blanche de quelques grammes qui s'offre à la première qui la réclame.

— Tu fais du combien ?

— Putain, Célia, tu sais très bien quelle est ma taille. Du 38, comme toi. Allez viens !

Et d'une main décidée, dans un mouvement de chevelure gracieux aux senteurs d'abricot, elle t'entraîne vers les toilettes. Quelques habitués installés au comptoir vous regardent passer, surpris ou égrillards.

2

Nous voilà enfermées dans la cabine puante, toutes les trois. Est-ce l'exiguïté ? Est-ce l'urgence ? Je vois bien que les deux jeunes femmes sont dans un état étrange, entre la gêne, le désir et la nausée. Je sais que tout cela n'est, par principe, pas vraiment compatible. Et pourtant, tout cela se mêle et les secoue comme un shaker, ajoutant un peu de sueur sur leurs gorges haletantes.

Pour Justine, la porteuse de jupe, la manœuvre sera simple, même dans un espace aussi confiné. Mais pour Célia, *ma* Célia, ce qu'exige d'elle son amie est autrement acrobatique.

Il te faut te tortiller pour abaisser ton jean ajusté jusqu'à tes chevilles. Tu n'es pas bien grosse et ton pantalon n'est pas si étroit, mais tu disposes de si peu de place que tu dois pratiquer de véritables contorsions pour parvenir à ce premier résultat. Quand Justine découvre la culotte

19

qu'elle convoite, elle a du mal à réprimer un gloussement.

— Merde, Célia... Tu pourrais faire un effort !

— Quoi ?

— Ben ta culotte... T'as vu sa tronche ?

— Qu'est-ce qu'elle a ?

— À 10 ans, j'en portais déjà des plus sexy...

Tu n'as pas de mal à la croire. Justine est aussi à l'aise avec son corps, et plus largement avec sa féminité, que tu es empruntée.

— Bon, ben... En attendant, c'est ça ou tu vas montrer ta foufoune à mon DRH ! C'est comme tu veux ! Tu te rebelles, piquée au vif.

— Ça va, fais pas ta chonchon... je la prends ta culotte de pucelle.

La phase deux est plus périlleuse encore. Extraire tes pieds des jambes tirebouchonnées du jean est un exploit, coincée dans cette cabine. Quand tu y parviens enfin, non sans être tombée une ou deux fois sur ton amie qui t'a retenue à pleines mains, sans aucune gêne, me retirer n'est plus qu'une formalité. À sentir mon coton léger glisser le long de tes cuisses, tu ressens un frisson étrange. Ça te fait tout drôle de penser ça et, pourtant, il n'y a pas d'autre façon de l'exprimer : je vais te manquer. On se connaît à peine, toi et moi, et tu nous sens déjà inséparables. Tu peux bien me prêter à cette tête de linotte, nous nous reverrons. Tu en es sûre. Nos destins sont liés, maintenant.

— Allez, grouille !

Justine te houspille.

— Voilà, voilà...

Au moment où je circule de main en main, c'est à mon tour de capter des choses étranges. Comme un passage de témoin. Comme si j'étais porteuse moi-même de je ne sais quel virus, que j'allais transmettre de l'une à l'autre. Leurs doigts s'effleurent et, durant cet instant très bref, plusieurs images d'elles affluent dans ce petit cheval de mer qui me sert de conscience.

Je vous l'ai déjà dit, Célia et Justine ont fait leurs études ensemble. C'est au bureau d'inscription de la fac qu'elles se sont rencontrées. Elles se sont plu tout de suite. Beaucoup plu. Peut-être trop plu. À tel point que, avant de voir Justine emballer tous les plus beaux garçons de leurs TD, Célia a conçu quelques doutes à son égard, durant un temps. Elle a chassé ces idées coupables – sans savoir si elle redoutait plus que son amie nourrisse pour elle un quelconque désir, ou sa propre attirance pour Justine – jusqu'à ces quelques semaines où, entre deux locations étudiantes, Justine est venue loger chez elle.

Des semaines où la brune délurée a apporté sa joie de vivre et son absence de complexes dans ses bagages. Bousculée dans sa routine studieuse, Célia a laissé faire, limitant ses récriminations à un silence contrarié de durée variable. De quelques minutes à quelques heures, quand elle estimait que son amie avait vraiment dépassé les bornes. Même quand Justine ramenait un garçon à la maison, généralement au beau milieu de la nuit, Célia ne parvenait pas réellement à se fâcher. Une fois ou deux, alors que les amants feignaient la discrétion dans la pièce à côté – ma maîtresse bénéficiait du luxe d'un deux pièces – elle s'est surprise à se caresser d'un majeur impérieux. De son côté, elle luttait réellement pour que ceux-ci ne l'entendent pas. Elle en aurait conçu une honte insurmontable. Mais son envie était la plus forte. Elle était incapable de la contenir, tout juste de la museler, le visage enfoui dans l'oreiller pour étouffer ses longs gémissements.

Son principal motif d'étonnement avait été, après coup, la similitude qu'elle avait notée malgré elle entre le cycle orgasmique de Justine et le sien. En d'autres termes, elles jouissaient toutes deux selon un scénario qui semblait avoir été écrit par la même plume : montée en parallèle, contractions et cris d'une égale intensité, orgasmes synchronisés. Jamais Célia n'aurait eu le cran de l'avouer à sa camarade, mais, de cette époque, elle avait gardé pour elle l'idée qu'elles étaient l'une et l'autre des sortes de jumelles sensuelles. Nées sous le même signe d'une même planète érotique.

À partir de là, Célia avait prêté une attention nouvelle aux activités solitaires de Justine. Elle guettait les instants où, à quelques indices aussi ténus qu'un froissement de draps prolongé ou un souffle plus court, elle devinait que son amie se caressait. Calant à chaque fois ses propres séances intimes sur celles de son invitée. Mais

22

un soir, alors qu'elle s'était emballée et qu'elle parvenait au bord de l'explosion finale, Justine était entrée sans crier gare dans sa chambre, puis dans son lit.

— Pousse-toi… fais-moi une petite place.

Au comble de l'embarras, Célia s'était redressée.

— Attends… qu'est-ce que tu fous ?

— C'est un peu con de faire ça chacune de son côté, tu crois pas ?

— Non ! Non ! s'était indignée Célia pour la forme.

— Écoute… Je sais très bien que tu m'entends me masturber.

— Pas du tout !

— Bien sûr que si. Même que ça t'excite. Alors tu te branles, et moi je t'écoute à mon tour, et c'est moi que ça excite encore plus… On n'en sort pas.

— Hum…

— C'est un peu tordu, non ? Ce serait pas plus simple d'être ensemble ?

Cela avait été dit sans perversité. Plutôt comme une évidence pragmatique. Justine était comme ça : en toutes occasions, elle ne cherchait qu'une chose, à savoir la manière la plus douce et la plus confortable de vivre le moment présent, sans arrière-pensées ni aucune forme de malignité. Elle était sincèrement convaincue qu'il y avait toujours un accord possible entre les gens et que tous pouvaient en tirer un égal bénéfice. Et cela valait pour le sexe comme pour le reste.

Comme Célia n'avait rien trouvé à répondre, elle s'était rallongée, puis laissé guider sa main jusqu'à la toison duveteuse et à l'entrejambe humide de Justine. Laquelle en retour avait posé une mimine toute menue sur sa vulve grande ouverte, déjà trempée de mouille. Très vite, elles s'étaient cajolées l'une l'autre, sans retenue. La brune était plus aventureuse que la blonde, on s'en doute. Elle plongeait un doigt, puis deux, dans le con brûlant de sa copine ; tandis que Célia se contentait d'un balayage doux, de la pulpe de l'index, sur le sommet sensible de Justine, brusquement échappé de son capuchon protecteur. Mais quel qu'ait été le traitement, il tirait à chacune un plaisir manifeste. Le seul défaut de cette méthode – Célia en conviendrait plus tard, sommée par son amie de commenter des faits qu'elle aurait préféré taire – c'était qu'elles ne pouvaient à la fois agir de la sorte *et* se voir dans l'action.

— Je te jure, c'est *hyper* excitant !

Et Justine de reconnaître qu'elle n'en était pas à ses premiers faits d'armes en la matière et que, plusieurs années auparavant, au lycée, elle avait convaincu l'une de ses camarades de classe de se mignarder l'une en face de l'autre, avec vue imprenable sur la fente opposée.

En dépit de la décontraction naturelle de sa squatteuse – laquelle semblait d'ailleurs peu pressée de trouver une solution d'hébergement alternative – Célia avait été gagnée dans les jours suivants par une gêne qui pétrifiait chacune de ses paroles et de ses attitudes. Ce qu'elles avaient

24

commis ensemble, elle y songeait comme on pense à un acte délictueux dont on s'est rendu complice, avait vidé leur relation de tout ce naturel qu'elle appréciait tant. Le moindre mot tendancieux, la moindre allusion involontaire, la moindre paire de fesses aperçue dans l'entrebâillement d'une porte, tout cela virait à l'angoisse pour la journée. Tant et si mal qu'elles en étaient venues toutes les deux à s'abstenir de tout contact physique, et de toute activité nocturne, seule ou à deux, cela va sans dire.

— Bon... ça peut pas continuer comme ça.

— Tu t'en vas ?

— Non... je m'en vais pas. Et tant que je suis encore là, je veux pas arrêter complètement de me branler parce que *tu* es mal à l'aise avec ça. Si je ne le fais pas au moins tous les deux jours, je deviens dingue, moi.

— Je ne suis pas du tout mal à l'aise...

— Mon cul, ouais... T'oses même plus me regarder dans les yeux quand tu me demandes le beurre !

Vraiment, on en était arrivé à ce niveau de trouble et de non-dit.

— Dans ce cas, affranchis-moi... Qu'est-ce que tu proposes ?

— Qu'on le refasse comme l'autre soir. Si on en a envie, bien sûr...

— Bien sûr.

Le soir même, elles s'étaient retrouvées dans le lit de Célia, plus confortable, et avaient poursuivi du bout des doigts ce dialogue, là où elles l'avaient laissé la fois précédente. Justine avait

25

pu apprécier, à son tour, l'incroyable conjonction de leurs tempos orgasmiques. Elles étaient aussi différentes qu'on peut l'être, mais elles jouissaient véritablement de la même manière. Une sorte de miracle clitorique. À croire que leurs organes érectiles étaient réellement sortis du même œuf.

Un cinéaste aurait été captivé par la manière dont elles ondulaient de concert. Un peintre, fasciné par les différences de teintes entre leurs sexes gonflés de sang et de désir, Célia d'un rose nacré, Justine d'un brun presque bistre. Un mélomane, charmé par la façon dont leurs cris s'enroulaient l'un autour de l'autre, pour composer à la fin le chant irrésistible de deux sirènes.

Pour pallier ce petit défaut dans leur dispositif, que Justine avait épinglé, elles avaient disposé un grand miroir en pied pile en face du lit. Ainsi, en se serrant suffisamment l'une contre l'autre, leurs deux corps littéralement imbriqués, pouvaient-elles contempler à loisir les effets des gestes qu'elles se prodiguaient réciproquement. Elles ne voyaient pas grand-chose, à vrai dire, car Célia refusait de s'exposer en pleine lumière. Mais assez quand même pour deviner cette onde unique qui les parcourait et, au moment crucial, les soulevait presque de la couche, pour finir par les rejeter d'un coup, avec violence, le front trempé, harassées. Comblées. Aucune ne l'avouerait à sa consœur, mais moi je peux bien vous le dire : plus jamais elles n'avaient connu depuis une telle félicité.

Officiellement, ces petits exercices horizontaux n'étaient qu'un service qu'on se rend entre bonnes copines. Ni plus ni moins. Étant entendu qu'aucune des deux ne devrait jamais – j'ai bien dit jamais ! – en parler à qui que ce soit, et surtout pas à leurs mecs respectifs, passés ou futurs.

Car, s'agissant du présent, c'était morne plaine des deux côtés. Ceci expliquant peut-être cela, au moins en partie. Enfin, Célia aimait à le penser. Ça la rassurait de se dire que ces jeux interdits n'étaient qu'un pis-aller. Elle s'était convaincue que dès qu'un gars un peu « sérieux » déboulerait dans la vie de l'une ou de l'autre, tout cela cesserait aussitôt. Chacune remballerait mains et foufoune dans leurs habitudes antérieures, sobrement hétérosexuelles, et on n'en parlerait plus.

De fait, c'est exactement ce qui était arrivé, un petit mois plus tard. Justine était partie définitivement avec Kevin, le garçon qui avait passé deux nuits de suite à la maison. Et Célia venait de rencontrer Fred. Ce même Fred que vous avez déjà eu l'occasion d'entrevoir, et qui partage encore sa vie aujourd'hui. Du sérieux, pour le coup.

Voilà les images que les deux jeunes femmes, toi, Célia, et ton amie Justine, se repassent alors que je vais bientôt envelopper une nouvelle paire de fesses. Justine m'enfile à toute vitesse. Elle semble se souvenir qu'elle est déjà dans le rouge point de vue retard. Si elle tarde encore, elle sera sans doute remerciée avant même d'avoir passé l'entretien.

Ses fesses sont rondes, plus galbées et charnues que celles de ma légitime propriétaire. Elles me remplissent totalement et tendent mon coton comme un tambour. Ce n'est pas désagréable d'être ainsi habitée. Son sexe aussi est très différent. Autant la vulve de Célia est un trait frais et nacré, autant l'intimité de Justine m'apparaît comme un fruit très mûr, aux replis replets, au parfum plus épicé, presque entêtant. Ma bande centrale se sent comme aspirée par cette bouche du bas, qui me mâchonne à chacun de ses mouvements. Elle est ce genre de fille à « user » ses petites culottes, à les mettre à rude épreuve par le seul fait de son anatomie.

Cette nouvelle présence contre moi est si enivrante, que j'en oublierais presque les fines lèvres de Célia. Je suis comme ça. Après tout, je ne suis qu'une pièce de lingerie bon marché. Je me donne à celle qui veut de moi. Vite, et pour pas cher.

Tu regardes Justine un instant. Tu ne peux pas t'empêcher de vous revoir sur ce lit. Avant que tu ne profères un mot, avant que vos bouches ne se rencontrent, elle s'est déjà échappée. Tu restes seule dans la cabine malodorante, tremblante d'envie et de peur, giflée par les regrets. Seule et sans culotte. Malaxée par cette chatte brune et musquée, celle de ma nouvelle maîtresse, je suis déjà loin. Et mon hippocampe avec moi.

3

Justine est si nerveuse que, au moment de serrer la main du DRH aussi aimable qu'un maton, elle en lâche une petite goutte sur moi. Oh, vraiment rien. Une rosée tout juste perceptible qui n'humidifie que la surface de mes fibres. Dois-je le dire ? J'aime presque ça. Cette gouttelette établit d'emblée une forme de connivence entre nous deux. Certes, il ne faudrait pas que ça devienne une habitude – à son âge, ce serait triste – mais là, en la circonstance, alors que nous initions tout juste cette relation nouvelle, je prends cet oubli d'elle-même sur moi comme un signe. Un abandon qui nous lie, qu'elle le veuille ou non.

Maintenant qu'elle est assise dans le bureau du bonhomme peu amène, j'ai tout le temps et le loisir de découvrir sa fente. D'éponger un autre fluide que son urine. L'écoulement lent et épais de sa mémoire. Le flux de ses aventures passées. Mais là où le vécu de Célia se résumait à un petit filet timide, à peine perceptible, celui de Justine est un véritable torrent.

Affluent pêle-mêle des dizaines de membres différents – trapus, courts, longs, au gland fin ou aussi bourgeonneux qu'un champignon parvenu à maturité – mais aussi tout un tas de langues, de lèvres, de doigts et de jouets divers. Son vagin est vorace et il est clair qu'elle y a introduit tout ce qu'elle pouvait pour rassasier ce monstre qu'elle a entre les jambes.

Si son interlocuteur savait ! S'il voyait ce que je vois ! Si je le pouvais, je hurlerais haut et fort :

— Ne la prenez pas, cette fille est une vraie cochonne ! Une nympho !

Après tout, peut-être cela le décoincerait-il. Peut-être qu'il la regarderait alors d'un œil moins hostile... Qui sait ? Il se verrait bien dans le film, lui aussi, rejoignant la cohorte de ses amants, malgré sa mine grise et son air chafouin.

Mais de ce que j'aperçois à l'instant, Justine n'a jamais sacrifié la qualité à la quantité. Tous ses amoureux, qu'ils aient été celui d'une nuit ou plus, étaient beaux, jeunes, vigoureux, fougueux même, empressés de dévorer ce sexe affamé de plaisir. Et pour en avoir, du plaisir, elle en a eu. C'est une jouisseuse facile, rapide, du genre qui décolle sans des heures de préliminaires.

Peu à peu, les images se font plus précises, plus distinctes. Les visages et les bites se différencient. Survient aussi un phénomène étrange. Puisque je suis en contact avec sa chatte, je ne pensais pouvoir collecter que les souvenirs qui sont liés à celle-ci. Non, c'est mieux que ça.

30

Voilà que j'aperçois aussi une bouche collée à l'un de ses mamelons, tétant le téton à pleines lèvres, aspirant la petite pointe violacée dans un bruit de succion aigu, et qui claque à la fin. Voilà qu'une main, épaisse, puissante, caresse son ventre et sa toison avec la légèreté d'un planeur survolant un vallon. Voilà que deux doigts titillent son anus irisé et que l'un d'entre eux force le passage de l'œil contracté, tirant de la belle un soupir mi-surpris mi-reconnaissant. Voilà qu'un gland suintant de désir, saturé d'envie, s'immisce dans sa bouche étroite, aussitôt accueilli par les lèvres fines et la langue, bête curieuse, qui en explore le pourtour et les détails à petites liches appliquées. Voilà des bourses velues, paquet fragile, qui balaient son visage comme un accessoire de massage, piquant ses joues délicates, flagellant son nez et son front avec chaleur et moelleux.

Il ne m'est pas toujours facile de recoller les morceaux, d'associer tel chibre avec tel visage, tel cul pommelé et telle bouche. Néanmoins, quelques figures dominantes se dégagent bientôt. Ce beau brun au regard d'Ibère bestial, je le remets. C'est celui qui a ravi Justine à Célia, il y a déjà de nombreuses années. Il y a aussi un blond presque glabre, un noir élancé, aux muscles fins, au sourire ravageur et deux ou trois types plus ordinaires, mais qui tous tirent de Justine des gémissements précieux. Et qu'elle paraît tous apprécier, sans réelle préférence affichée.

Surgit alors un torse sculptural. Des bras d'homme fort. Des cuisses d'haltérophile. Un homme parfait, mais sans visage. À la manière dont le con de Justine palpite sur moi, prêt à décharger un tout autre liquide, je sens bien que celui-ci revêt pour elle un statut bien particulier. Il n'est pas juste une verge qui va et vient en elle pour lui offrir son content d'orgasmes pour la semaine ou le mois. Elle a des sentiments pour cet homme-là, je peux le flairer. C'est d'ailleurs peut-être le seul qui lui provoque cela. À chaque fois qu'elle l'aperçoit, quelque chose se contracte au fond de son gouffre dévoreur. Ou plutôt, elle sent comme un ballon qui se gonfle en elle, petite baudruche qui enfle contre le col de l'utérus, puis se vide soudain, dans une brusque détente qui la laisse radieuse, et apaisée.

Ce qui me frappe, chez ces deux-là, c'est qu'ils semblent passer leur vie au lit. Mais jamais dans la même chambre, ou presque. Comme s'ils voyageaient beaucoup, que leur amour était nomade. Où le rejoint-elle ? Traverse-t-elle toute la France pour se vautrer avec lui, quelques heures durant ?

Les voici par exemple dans une petite pièce aux teintes rouges, aux rideaux épais, tirés juste ce qu'il faut pour laisser filtrer des rayons joueurs jusque sur leurs corps dénudés. Ils jouent comme deux chatons. Ils se roulent dans les draps blancs, encore frais, vierges de traces et d'odeurs. Ils n'ont pas encore laissé leur marque ici, leur estampille lubrique.

— Je n'ai qu'une heure…, souffle l'homme avec un regret évident dans la voix.

— Ça me laisse le temps de te faire plein de choses ! s'esclaffe Justine.

Et ce disant, elle empoigne son membre encore flaccide et entreprend de le branler lentement. Elle en use comme d'un jouet. Elle l'admire. Elle le hume comme une fleur au parfum subtil. Le musc de la macération ne la rebute pas, au contraire, elle le flaire de si près que par instants le bout de son nez (à elle) touche le bout de sa queue (à lui). Elle ne se lasse pas de le décalotter au ralenti, puis de chapeauter à nouveau le gland si vulnérable, roulant le prépuce comme on roule une cigarette, n'interrompant son geste que pour gratifier le petit animal tremblant, légèrement grêlé par la fraîcheur ambiante, d'un coup de langue gourmand.

— Hum… Il a goût de saucisse fumée !

— Arrête…

— Je te jure ! Je me fous pas de toi…

— Quel genre de saucisse ?

— Disons… des saucisses cocktail.

Il fait mine de se vexer, eu égard à la taille relative de son membre et des aliments susnommés.

— Merci pour la comparaison… J'espère que la mienne est quand même plus…

— Plus quoi ?

Elle rit aux éclats.

— … plus nourrissante !

— Bien sûr…

Elle l'avale d'un coup, tout entier, le sommet de son gland frappant les profondeurs de sa gorge dans un amorti qui le rend fou.

— Tu penses, une bonne saucisse comme ça... Moi ça peut me faire toute la vie !

Ils n'ont pas peur d'être bêtes. Ils n'ont pas peur des clichés. Ils se fichent pas mal du ridicule, puisqu'ils le partagent. Puisqu'à la fin elle le suce avec goinfrerie.

Il s'est abandonné à cette bouche qui l'absorbe complètement. Qui n'en a jamais assez, jamais fini. Elle est capable de le pomper comme ça pendant des heures. Ce n'est pas qu'une formule. Une fois, elle a même cru s'être décroché la mâchoire, ou s'être luxé je ne sais quel zygomatique, tant elle s'était acharnée sur son sexe, relançant par moments son érection défaillante à grand renfort de langue, ou de pression des joues autour de la hampe. Elle ne parvenait plus à refermer la bouche. Ni à parler.

— Eh bien, comme ça... Tu ne pourrais plus rien faire d'autre que de me sucer, a-t-il plaisanté.

D'ailleurs, c'est ce qu'elle avait fait aussitôt, transcendant sa douleur, jusqu'à recouvrer miraculeusement la mobilité de sa mâchoire dans ce nouvel exercice, soignant le mal par le mâle. Qu'elle puisse se sacrifier ainsi était un motif d'excitation supplémentaire pour son amant, qui n'en finissait plus de flatter ses cheveux et sa nuque du revers de la main, de l'encourager de ses râles profonds, de l'affubler de petits noms que, en toute autre occasion, elle aurait récusés en poussant les hauts cris : ma pompeuse, ma bouche à pipe, ma salope à grande bouche, mon piston d'amour…

Comme il menaçait d'exploser dans sa bouche, elle en avait retiré l'extrémité vibrante de son gland et avait déposé celle-ci sur ses lèvres, attendant l'onction saccadée de son sperme. Celui-ci s'épanchait enfin, sans jaillissement intempestif, roulant hors du méat telle une lave paresseuse, un métal lourd, badigeonnant la bouche de Justine d'un éclat visqueux.

Elle s'en était léché les babines…

— Ne manquait plus que la mayo…

— Tu l'aimes ?

— Oui… j'adore ton foutre.

Quelques minutes plus tard, il avait retrouvé assez de vigueur pour la chevaucher enfin. Elle s'était laissé prendre. Des pulsations agitaient son ventre et l'ouvraient en grand, trempé, les chairs distendues, assouplies par le désir, prêt à accueillir l'intrus. Elle n'attendait que ça. Quand il était entré en elle, elle avait souri, les yeux clos, la bouche à peine entrouverte. Elle n'appréciait pas outre mesure, mais elle savait à quel point lui aimait que leurs ébats soient ponctués d'interjections ordurières. Et le seul fait de le savoir stimulé par cet artifice suffisait à faire tomber ses dernières réserves et à désinhiber sa langue aussi bien que son cul.

— Bourre-moi à fond !

— Oui…, ahanait-il.

— Explose-moi la chatte.

— Je vais… oui, je vais te l'exploser !

Pas de quoi effaroucher la petite culotte que je suis. Vous savez, du fond de vos pantalons et de vos jupes, sous vos joggings et vos collants, j'en vois souvent de bien plus salés. Les mots n'y sont pas, mais les choses sont bien là, puantes, rances, et parfois même dégoulinantes. Il n'y a bien que vous, humains, pour trouver cela risible, ou vous en offusquer.

Entre deux bordées d'injures, ils variaient les positions et les plaisirs, sans jamais décoller leurs sexes en fusion, éprouvant à coups de fesses et de reins la résistance du mobilier. Écrasant un guéridon branlant de son cul rondelet. Pilonnant un fauteuil épuisé de ses va-et-vient martelés. S'agrippant aux rideaux rouges, dont plusieurs crochets avaient fini par jaillir hors de leur logement, dans un tintement métallique.

Il cherchait réellement à la transpercer. À déposer au fond d'elle tout ce qu'il pouvait de lui. À tailler dans sa chair, à la sculpter comme un tailleur de pierre ou de bois, sa bite pour burin, son amour pour tout génie. À chaque nouveau coup porté, des copeaux de plaisir éclaboussaient la chambre, les draps, leurs vêtements. Ils repartiraient couverts de cette sciure de joie et tout le jour suivant ils sentiraient le petit bois qu'ils avaient consommé pour sceller leur union. Le sexe n'était visiblement pas qu'un détail, dans leur histoire. Il était toute leur histoire. Il était la matière dont ils façonnaient leur rêve. Celui d'une relation horizontale.

36

Au moment de venir, il s'emballait toujours, produisant de longs grognements sourds, d'abord lents, espacés, puis de plus en plus rapprochés et rapides. Son comportement animal achevait de la transporter. Elle râlait avec lui, elle cherchait sa bouche, son cou ou ses épaules pour le mordre à pleines dents. Elle n'en pouvait plus. C'était trop et ce n'était jamais assez. Il lui semblait que son con chauffait tant qu'il finirait par produire de la fumée, comme ces moteurs qui tombent en rade dans les films. Mais il était hors de question qu'elle reste au bord de la route tandis qu'il filait droit vers l'orgasme. Alors elle s'accrochait, propulsant son aven bouillant vers lui pour mieux l'engloutir. Elle s'agrippait à son bassin avec une telle force dans les cuisses que par moments il ne parvenait plus à ressortir et devait rester au fond d'elle, à frémir du gland dans cet enfer délicieux.

Cette fois-là, elle avait eu assez de ressources en elle pour comprimer son vagin autour de lui, le pressant par vagues successives, jusqu'à tirer de lui un long jet, entrecoupé de soupirs émerveillés. Puis elle était venue à son tour, haletante, quand ses exercices musculaires s'étaient mués soudain en contractions, dont elle ne maîtrisait dès lors ni la durée, ni l'intensité, percluse de bonheur.

— Je vous prends !

La sentence du DRH nous sort toutes deux de notre rêverie. Voilà une bonne heure qu'il s'écoute parler, à rappeler la mission ô combien noble du laboratoire, à dispenser ses conseils faisandés, et puis, soudain...

— Pardon ?

— J'ai dit que je vous prenais. Vous êtes engagée.

— Comme... Comme ça ? Je ne dois pas passer de second entretien ?

— Vous êtes recommandée par Célia Marthon, n'est-ce pas ?

— Oui...

— Si vous avez ne serait-ce que la moitié de son bagage et de sa compétence, vous ferez parfaitement l'affaire. D'ailleurs, vous commencerez dans l'équipe sous ses ordres.

C'est une moins bonne nouvelle. Mais est-elle en position de faire la difficile, là, avec sa petite culotte hippocampe, ruisselante de souvenirs plus moites les uns que les autres ? Non, pas vraiment. Alors elle décoche un sourire ravi. Elle ne sait quoi dire. Et elle me bénit, moi, bien calée sur ses fesses et entre ses jambes. Heureusement que j'ai été là. Pour un peu, elle m'attribuerait des vertus magiques, petit talisman blanc et doux.

Il lui tarde maintenant de partager son scoop. Et, étrangement, ce n'est pas Célia qu'elle cherche à informer en priorité. Célia sa meilleure amie. Célia dont elle sera l'adjointe. Célia dont elle porte la petite culotte à l'instant même, posant sa chatte là où sa presque sœur blonde a posé la sienne un peu plus tôt. Justine pense à quelqu'un d'autre. Un quelqu'un avec qui elle a rendez-vous, dans une chambre rouge, ou peut-être d'une autre couleur, cela importe peu. Tout triangle de coton que je suis, j'ai compris : c'est cet homme qu'elle va rejoindre. C'est dans ses bras qu'elle veut fêter l'événement. Avec son sexe qu'elle veut arroser l'occasion. De son champagne qu'elle souhaite s'enivrer.

Cet homme fort, au torse large… Et dont je n'ai toujours pas vu le visage.

4

Justine ne se contente pas de penser à cet homme jusque-là invisible. Sa promesse d'embauche en poche, aussi radieuse qu'on peut l'être en une telle circonstance – elle en oublierait presque ma présence entre ses cuisses, moi l'intruse, moi la culotte prêtée –, elle grimpe dans un bus et, une dizaine de stations plus tard, en descend pour trottiner jusqu'à l'entrée d'un hôtel. Ni classe ni minable, juste fonctionnel, plantes artificielles dans l'entrée et décoration design telle qu'on en trouve dans les salons de démonstration chez les marchands de meubles en kit.

Ce faisant, elle consulte les messages textuels sur son mobile et répète au réceptionniste le numéro qu'elle vient de lire sur le petit écran.

— On m'attend chambre 18...

— Je vous en prie, mademoiselle... « Monsieur » est déjà arrivé.

Dans l'ascenseur, sa poitrine se serre. Ce n'est pas banal, ce qu'elle a à lui annoncer. Comment va-t-il prendre la nouvelle ? Va-t-elle sonner le glas de leur relation, ou au contraire créer un lien nouveau, plus fort, exclusif ? Serait-il prêt à tout quitter pour elle ?

Comme elle ne s'est pas encore bien habituée à moi, elle passe un revers de main entre sa chatte et ma bande de tissu, pour décoincer quelques poils rebelles et présenter à son amant le sexe le plus appétissant qui soit. Mais un doute l'étreint. Que va-t-il penser de cette culotte ?

Elle n'a pas le temps de ressasser son angoisse que déjà elle toque à la porte, trois coups brefs. Deux secondes à peine et on lui ouvre ; il devait être posté à proximité, aussi impatient et fébrile qu'elle. Le contre-jour dessine sa silhouette massive, mais son visage disparaît dans l'ombre. C'est pourtant bien lui. Il lui sourit, et ouvre la porte en grand sur elle. Quand il la referme et se retourne, le poing de la culpabilité étreint son bas-ventre. Elle porte la culotte de Célia. Elle va travailler avec elle. Et elle baise...

— Fred..., feule-t-elle dans son cou, lorsqu'il se colle contre sa poitrine.

Son mec. Le mec de Célia. Son homme, son gars, sa chose. Fred, quoi. C'est lui son amant. Lui le type de la chambre rouge. Lui qui la fait vibrer.

Cette fois encore, j'aimerais disposer d'un organe vocal pour hurler à la cantonade : « Justine... Tu ne peux pas faire ça ! » Mais faut-il vous rappeler que je suis un morceau de coton indien, cousu au Bangladesh ?

Tout ce que j'ai pour moi, c'est cette satanée faculté à lire son passé sensuel, sexuel, et amoureux. Je vois alors que tous les deux, ça ne date pas d'hier. Célia venait à peine de rencontrer Fred. Vous vous souvenez ? L'époque du touche-pipi entre filles et du squat de Justine chez son amie. Elle était revenue, un dimanche, pour récupérer quelques affaires. Sans prévenir, évidemment, sinon il n'y aurait pas d'histoire. Les deux tourtereaux venaient de faire l'amour – sans passion – et Célia dormait dans la pièce à côté.

Fred lui avait ouvert, intégralement nu, le sexe encore partiellement gonflé de désir. Je vous rassure, rien ne s'était passé ce jour-là. Mais à la façon dont ils s'étaient regardés, ces deux-là avaient tout de suite compris comment les choses allaient tourner. Et qu'aux œillades succéderaient de nombreuses, si nombreuses caresses. Justine avait obtenu le portable de Fred et, quelque temps après, le reste s'était enclenché comme vous pouvez l'imaginer, dans une interminable farandole de chambres semblables à celle-ci.

L'ambiance y est aussi bleue qu'elle était précédemment rouge. À croire qu'il choisit leurs lieux de rendez-vous en fonction de la couleur. Rouge passion l'autre fois. Bleu du doute et des états d'âme aujourd'hui ?

— J'ai été prise…

— Comment ça ?

— Au labo de Célia. J'ai passé mon entretien et j'ai eu une réponse immédiate. C'est oui.

— Merde… Je suppose qu'il faut te féliciter ?

— Je suppose aussi. Mais ça va devenir très compliqué… Je veux dire, toi et moi.

— J'avais compris. Tu veux arrêter, c'est ça ?

Il contracte un visage qu'on devine inquiet.

— Non !

Elle se plaque à nouveau contre lui et cherche ses lèvres boudeuses, contrariées.

— Alors qu'est-ce qu'on fait ? Tu vas bosser toute la journée avec elle et venir ici le midi baiser son mec ?

— Tu couches bien avec elle tous les soirs…, se défend Justine. Et ça ne t'empêche pas de me baiser, toi aussi.

« Et je porte bien sa culotte, en ce moment même ! » Un scrupule venu d'on ne sait où la retient de le lui avouer. Pas sûr qu'il apprécie la perversité de ce détail, à cet instant.

Ce qu'ils sont en train de réaliser, c'est que, depuis le début, ils forment ensemble, Célia, Fred et Justine, une sorte de ménage à trois. À ce petit bémol près que l'un des trois n'est pas au courant.

— Ça va te rendre dingue…

— C'est de toi dont je suis dingue, elle lui assène cette banalité en même temps qu'un long baiser.

Quant à moi, je retourne la situation aussi vite que les neurones brodés de mon hippocampe me le permettent. Je sais, ça fait peu. Me voilà la dépositaire muette de leur secret. La seule à tout savoir. La seule à partager leurs cinq à sept, leurs douze à quatorze, et toutes leurs autres formules de *sex friends* dépravés.

Muette, vraiment ? C'est comme si, moi, l'éponge à souvenirs, j'avais aussi la capacité de les restituer à celle qui me porte. Les exploits sexuels de Célia ont beau ne pas être à la hauteur des siens, Justine perçoit quelques instantanés, échappés du con de son amie. Fred qui s'acharne à pleine bouche sur la fente étroite. Le même qui l'envahit, presque de force, le corps de la jeune femme blonde tordu d'envie et de répugnance confondues. Ce n'est pas une surprise : Célia ne sait faire l'amour que sur la défensive, à reculons. Sa jouissance n'est pas pleine, assumée ; elle ne l'envisage que comme une capitulation. Une défaite. C'est ce que Justine ressent à mon contact. C'est ce même sentiment qui l'envahit maintenant, gommant ce frisson qui la traverse à chacune de leurs retrouvailles.

Elle chasse ces images, qu'elle attribue à sa nouvelle culpabilité. Mais rien n'y fait. La voilà aussi réfrigérée que celle qu'elle a trahie.

Quand Fred tente une incursion de sa main sous la jupe légère, Justine se soustrait avec une grimace, aussitôt effacée. Elle ne peut pas. Pas aujourd'hui. Ce serait la première fois qu'ils se verraient sans rien faire d'autre que parler. Mais leur relation n'est pas un dialogue, c'est la rencontre de deux corps. Si on leur demandait de définir leurs sentiments, je crois qu'ils en seraient bien incapables. De l'amour ? Non, pas vraiment de l'amour. Du désir ? Ça oui, aucun doute là-dessus. Et quoi d'autre ? Qu'est-ce qui les a poussés à se faire tant de bien, semaine après semaine et à faire tant de mal au dernier membre de leur involontaire trio ?

— J'ai envie de toi… j'ai envie de te défoncer, susurre-t-il à son oreille.

Mais pas elle, pas cette fois. Pas ces mots-là. La faute à moi, j'en suis sûre.

Fred tente malgré tout de relever sa jupe, qu'elle plaque des deux mains sur ses cuisses. Un semblant de bagarre s'ensuit. Alors, entre deux coups de pied furieux de sa maîtresse, et une claque sur les fesses de Justine, il me découvre.

— Qu'est-ce que c'est que cette… culotte ?

— Fous-moi la paix !

Elle s'est défaite de son emprise et a bondi hors du lit.

— Tu te fournis au rayon enfants, maintenant ?

— Elle est pas à moi, voilà… T'es content ?

— Pas à toi ? T'as une petite sœur, maintenant ?

Il en oublierait presque le motif de leur rencontre du jour. Il roule des yeux ébahis. Gourmands.

— C'est pas la peine de te faire un film. J'ai juste oublié d'en mettre une ce matin. Et je me voyais pas passer un entretien d'embauche la chatte à l'air.

— Et… Comment tu t'en es sortie ?

— Une copine m'a retrouvée au café pour m'en prêter une, voilà, c'est tout.

Son amant me considère avec un sourire en coin. Je le fascine plus encore. La perspective de toucher le sexe d'une autre à travers moi, qui

46

plus est contre le vagin de sa maîtresse, ouvre en lui des perspectives ô combien stimulantes.

— C'est qui, cette copine ?

— Tu la connais pas...

Justine ment mal.

— T'es sûre ? Depuis le temps, je suis à peu près certain que tu m'as parlé de toutes tes relations.

— Eh bien elle, c'est une nouvelle. Je l'ai rencontrée à la gym. J'ai quand même le droit, non ?

— Hum, hum... Son prénom ne commencerait pas par un C., par hasard ?

— Non...

— Et elle ne t'aurait pas retrouvée à ce café *justement* parce qu'elle bosse au labo où tu avais rendez-vous ?

— Arrête tes conneries. C'est pas Célia...

Fred ne la croit pas. Elle baisse trop les yeux, croise trop les bras sur ses jolis seins gonflés par la colère, respire trop fort pour ne pas lui cacher quelque chose. Son instinct de chasseur s'éveille en lui. Il ne lâchera pas si facilement l'affaire. Moi qui me voulais discrète, me voilà au cœur de leurs tensions inédites.

— C'est drôle... Parce que hier matin, elle n'avait plus de culotte propre.

— Et alors, quel rapport ?

— Et alors, elle est allée en acheter une neuve au bazar en bas de l'immeuble. Un truc cheap, dans ce genre-là.

— Tu l'as vue cette culotte ? bluffe Justine.

— Non..., admet-il. Mais avoue que la coïncidence est troublante.

Au lieu de lui répondre, la petite brune saisit l'élastique qui me maintient sur sa taille, de chaque côté, et d'un geste vif me descend sur ses cuisses, donnant brusquement à voir cette toison abondante qu'il aime tant brouter, mouton jamais rassasié. Puis, d'un mouvement de hanche presque drôle, petite danse aux pieds joints, comme si elle cherchait à faire tourner un hulahoop, elle me fait choir à ses pieds. Elle se penche alors, m'attrape avec deux doigts et, aussitôt relevée, me jette à la figure de son inquisiteur.

— La voilà ta putain de culotte !

— Justine… Le prends pas comme ça…

— Si ! Si ! On est dans la merde et toi c'est tout ce qui t'intéresse. Ma culotte ! Alors, vas-y ! Fais-toi plaisir !

— Ça va !

— Vraiment, te gêne pas pour moi ! Tu peux même la renifler si tu veux ! Avec un peu de chance, tu sentiras aussi la moule de la fille qui me l'a passée !

— Ju… j'ai aucune envie de renifler cette…

— Ah ouais !

Elle s'est dressée devant lui, un index menaçant pointé en direction de son torse de bronze.

— Ah ouais ! Ose me dire en face que quand j'ai le dos tourné tu ne ramasses pas mes sous-vêtements pour les sniffer !

— OK, OK, calme-toi… Ça m'est peut-être arrivé, une fois ou deux…

— C'est ça, une fois ou deux, prends-moi pour une conne.

Je n'ai pas en mémoire tout l'historique de leur relation, mais à les regarder je peux certifier que c'est leur première engueulade. Ils en sont encore à répartir les rôles, à peaufiner leurs répliques. Leur dispute ne suit pas un scénario prédéfini, comme chez tous les couples installés dans la durée. On navigue en pleine impro. Et si leur histoire doit survivre à cet accroc, cet instant compte. Pour l'un comme pour l'autre, il s'agit d'établir son territoire.

— Bon et après... Tu vas aller voir les flics parce que j'aime sentir tes culottes ? Jusqu'à preuve du contraire, c'est plutôt le genre de jeux que tu apprécies, non ?

— Je dis pas le contraire, elle se déraidit doucement. Mais pas quand c'est la foufoune d'une autre que tu viens y chercher.

— Ju...

Il tente de la reprendre dans ses bras, avec tendresse.

— Tu sais bien qu'il n'y a qu'un minou qui m'affole.

— Ben voyons...

— J'te jure. Si je renifle tes dessous, c'est parce que l'odeur de ta chatte me rend maboul. Il n'y en a qu'une qui me fait ça.

Elle soupire un sourire. Elle se love contre lui. Fin de l'affrontement.

Un flash la traverse, pourtant : ses lèvres à lui suçant les nymphes de Célia, jolis papillons fins et subtilement ourlés. Petits berlingots acidulés au sucre de con. Mais ce qui devrait couper plus encore ses effets a cette fois l'étrange vertu de

49

sonner le branle-bas de combat au creux de son ventre. Elle sent l'envie qui monte et qui la fend en deux, bientôt prête à s'ouvrir tout à fait.

Fred doit avoir une antenne pour ce genre de choses, car il plonge aussitôt deux doigts sur la vulve, qui les aspire en elle comme des spaghettis beurrés.

— T'es vraiment qu'une ordure, miaule-t-elle à voix basse, fermant les yeux.

— Et toi une sale petite pute en chaleur...

La suite ressemble à s'y méprendre à ce qui s'est déjà déroulé entre eux dans les chambres rouges, jaunes, vertes, or ou argent qu'ils ont déjà épuisées ensemble. Comme à chacune de leurs entrevues, elle commence par le sucer. Longuement. Profondément. Goulûment. Elle y met tant de fougue qu'il doit l'interrompre pour ne pas déjà se dilapider. Il adore sa gorge, mais il préfère encore les mystères de son sexe. Par moments, il a le sentiment d'être doté d'un véritable outil d'exploration. Aussi agile que ses doigts. Aussi sensible que leur pulpe. Aussi précis que sa langue. Aussi curieux que ses yeux.

À force, il n'y a plus le moindre repli, plus le moindre accident de relief sur ses parois élastiques qu'il n'ait identifié. Il leur a donné des noms, comme les astronomes baptisent les collines et les creux des planètes qu'ils découvrent. Devant, là, juste après le vestibule, c'est la « Vallée des larmes de joie ». Ce que d'autres appellent plus prosaïquement le point G. Ensuite, vient le « Gouffre des longs soupirs », bordé d'un côté par le « Plateau des orgasmes brefs », et de l'autre par le « Pic des agaçantes », là où sa muqueuse est un peu plus rêche. Viennent enfin, enquillées l'une dans l'autre, les deux anses profondes, « Golfe des plaisirs muets » et « Golfe du cri du loup ». Car Fred hulule quand il vient vraiment fort. Tout au fond d'elle.

Ce qu'il ne tarde pas à faire, son nez perdu dans le cou gracile de Justine, psalmodiant des mercis entre deux jappements.

— Garde-la, souffle-t-elle, alors qu'ils reposent enfin, enlacés.

— Quoi ?

— Ma culotte… Enfin, celle de ma copine… Garde-la, si tu veux.

— T'es sûre ?

C'est une catastrophe. Si Fred me rapporte à la maison, Célia me mettra à nouveau. Alors, tout ce que j'ai en mémoire les concernant, eux, les amants des hôtels de couleurs, tout cela remontera en elle. Elle ressentira jusqu'au moindre frémissement, la moindre contraction, la moindre émotion éprouvée par Justine. Elle verra le visage de celui qui exaspère les sens de son amie, et laisse les siens de glace.

Tout ce qu'il me reste à espérer, c'est que mes propriétés ne résistent pas au lavage. Que ma magie se dissolve dans la lessive. Que mon génie se dissipe dans l'eau, même sans bouillir.

Fred m'a fourrée dans sa poche. Prêt à partir avec moi. J'aimerais pouvoir jaillir au-dehors, quitte à tomber dans la rue et finir dans la fange d'un caniveau, ou à la poubelle. Tout sauf effleurer à nouveau le sexe de Célia.

Tout ?

5

Quelle drôle de sensation d'être contre un homme. Je ne dirais pas désagréable. Plutôt curieuse. Pourvu qu'il ne me tripote pas trop, quand même. Qu'il ne dépose pas sur moi ces mâles odeurs de déodorant, d'eau de toilette musquée, de tabac froid ou de transpiration que je peux capter à travers la toile de sa poche. Moi, j'ai été conçue pour la délicatesse des femmes. Leurs parfums de fleur, de poudre ou de vanille. Pour protéger leur petit con tout en douceur. Pour leur apporter juste ce qu'il faut de raffinement. Je n'ai pas été faite pour la rugosité masculine.

Pourvu – oh oui ! – pourvu que ce ne soit pas un gros pervers ! Je tremble à l'idée des usages salaces qu'il pourrait se mettre en tête de m'infliger. Au top 5 des horreurs que je serais incapable de supporter, je classe par ordre décroissant :

1. L'éjaculation sur moi.
2. La masturbation dont je serais un accessoire.

3. Le nettoyage de son sexe avec moi.

4. Le léchage de la bande souillée.

5. L'enfilage...

Oh, dieu des culottes et des strings, non ! Faites qu'il ne se pique pas de me porter ! Faites qu'il ne soit pas l'un de ces tordus qui s'excite à l'idée d'enfiler les dessous de ces dames. Je refuse de sentir ces grosses couilles poilues sur moi ! C'est dit.

En même temps, vu sa complexion et son tempérament, je ne le vois pas trop en balconnet, brésilien et jarretelles. Même pour rigoler. Mais, toute culotte pucelle que je suis, je sais aussi que l'apparence ne peut faire office de garantie en la matière. Que la libido est un moteur si complexe et si puissant qu'on ne sait jamais à l'avance quel carburant il faudra pour le faire tourner, selon le véhicule concerné. Alors, vraiment, ne pas se fier à sa carrosserie de 38 tonnes.

En attendant, c'est bien calée au fond de sa veste qu'il m'emporte avec lui. La chaude intimité de Célia ou de Justine me manque. Je me demande bien pourquoi celle-ci m'a sacrifiée aussi facilement. Ne craint-elle pas les soupçons de son amie ? Ne redoute-t-elle pas que, comme je l'ai pu dans le sens inverse, je fasse remonter tous ses secrets jusqu'à Célia ? Ou bien dois-je comprendre que ce petit scénario l'excite ? Que l'idée de me savoir portée par elle, puis à nouveau appliquée à la chatte fine et suave de sa camarade est pour elle source d'un plaisir retors ?

Car, à moins que Fred ne m'escamote, ou choisisse tout bonnement de me jeter à la poubelle, c'est bien ainsi que cela va finir. Retour à la source. Retour au sexe de ma légitime propriétaire. Ah, je vous jure, je n'avais pas imaginé la vie d'une culotte aussi trépidante. Je me voyais plutôt passer d'une paire de fesses au tambour de la machine, bref séjour dans le placard et à nouveau repartie pour un tour. Jamais je n'aurais pensé changer de mains, autant de fois, et en aussi peu de temps.

Vous savez quoi ? Je ne suis qu'au tout début de mon cauchemar... Et eux de leurs surprises.

Le jeune homme ne retourne pas à son travail. De sa voiture, il appelle celle qui doit être son assistante – l'a-t-il *eue*, elle aussi ? – et prétexte un rendez-vous inopiné pour justifier son absence de l'après-midi. C'est faux, évidemment. À la place, il rentre directement chez lui, chez eux, à l'appartement que Célia et lui partagent depuis quatre ans. Certains couples sont capables d'attacher un souvenir érotique à chaque pièce, à chaque élément du mobilier, parfois même à chaque bibelot. Mais les seules bribes qui lui viennent en mémoire quand il rentre ici, ce sont des dîners entre amis, des soirées télé, de chastes mamours autour d'un verre de vin ou d'un petit plat qu'elle a confectionné pour lui. Leur relation sent la lavande et le sauté de veau. Pas le sexe, hélas. Non, pas le sexe. C'est bien là tout leur problème.

Il jette sa sacoche sur le canapé et file dans la chambre. Là, il allume son ordinateur portable, sur lequel il saisit un mot de passe interminable. Sans doute la clé de ses insondables mystères. Après avoir cliqué sur un nombre abyssal de dossiers, descendant toujours plus profond dans l'arborescence, il appuie sur l'icône d'une petite vidéo, qui se lance aussitôt dans la fenêtre réduite d'un lecteur. De toute évidence, c'est un document amateur. L'image tremblote et la lumière est insuffisante, nimbant les silhouettes dans un halo spectral. Après quelques secondes qui donnent la nausée, le cadre se stabilise enfin en un plan large du lit, et on reconnaît sans peine les deux protagonistes. Justine et lui.

Il est fou de conserver ça ici ! Et si elle finissait par tomber dessus ? Mais à l'heure qu'il est, aucun risque que Célia ne débarque à l'improviste. Il n'y a que lui. Lui et son désir majuscule que le petit coup rapide dans la chambre bleue n'a pas assouvi.

À la manière dont il commence à se masturber, accélérant le rythme en fonction de l'action à l'écran, je peux dire qu'il a déjà vu et usé ce petit film des dizaines de fois. Il le connaît par cœur. Il anticipe chaque changement de position, chaque gémissement de sa maîtresse, pour appliquer sur sa queue les caresses appropriées. Et comme la vidéo est brève, il la joue à plusieurs reprises.

Ça ne semble toujours pas assez pour le faire venir. Il se balade maintenant sur des sites qui proposent des milliers de séquences du même genre. Des milliers d'autres couples qui se donnent en pâture aux astiqueurs de queue solitaires. Y a-t-il déposé le clip réalisé avec Justine ? Est-elle au courant de ses petites activités ? Je ne saurais trop dire pourquoi, mais j'en doute.

Ah, si j'étais capable de lire aussi la sexualité des hommes, j'en apprendrais probablement de belles sur lui. Quelque chose me dit que Justine n'a pas été la seule, toutes ces années. Et que les chambres d'hôtel qu'il a pu fréquenter entre deux rendez-vous professionnels ont toutes les couleurs de l'arc-en-ciel. Célia est une cocue chronique. Et lui un baiseur compulsif. Après tout, non, je ne préfère même pas connaître le détail de ses conquêtes d'un jour, d'une heure, encore moins d'une minute. Je trouve tout cela si…

— Salut, Fred !

L'apparition d'une fenêtre de dialogue sur le moniteur m'arrache à ma rêverie filandreuse. Dans l'angle gauche, une photo miniature m'apprend qu'il s'agit d'une femme blonde, plus âgée que lui, quelque chose comme la bonne quarantaine, très fardée, aguicheuse.

— Salut, Poopey, saisit-il sur le clavier.

Il a conservé son diminutif, pas elle. Elle a pris un pseudo évocateur, néanmoins gage de discrétion.

— Tu as réussi à récupérer ce qui était convenu ?

— Mieux que ça !

La bite à l'air, les doigts courant à toute allure sur les touches, il semble attisé par cet échange à demi-mot. Mais de quoi parle-t-il au juste ? En plus de tromper sa compagne, se pourrait-il qu'il deale ?

— Mieux ? Kes que tu veux dire par là ?

— J'en ai bien une, mais elle n'appartient pas à ma copine.

L'absence de réponse immédiate exprime la perplexité dans laquelle cette précision a plongé son interlocutrice anonyme.

— À ki alors ?

— C compliqué…

— Dis-moi, ça m'intéresse !

— À une copine de ma maîtresse.

— Et cette copine, tu la connais ?

— Même pas !

— Comment t'as fait, alors ?

— Elle l'a donnée à J.

— Qui l'a portée, au final ?

— J., et avant elle sa copine.

— Deux porteuses pour une seule culotte ! Joli score, bravo !

J'ai bien peur de comprendre ce qui se joue, ici. À mesure qu'il frappe ses réponses, d'une main, il s'est remis à se polir le gland. Doucement. Sans précipitation. Je constate qu'à l'autre bout du réseau, la blonde quadragénaire doit recevoir ce qu'enregistre la webcam de Fred, car elle plonge à son tour une main dans son entrejambe. Mais ce n'est pas cette partie de touche-pipi virtuel qui m'effare. C'est plutôt l'inconcevable trafic dont il est question entre eux. Ce qui les stimule, si j'ai tout bien compris, c'est pour sa part à elle de porter des sous-vêtements déjà salis par d'autres femmes ; et, de son côté à lui, de confier à des inconnues les culottes de celles avec qui il couche.

Je dois l'admettre, quelque chose m'échappe dans le mécanisme de ce transfert libidineux. Quelle zone sombre de leur psyché cet échange peut-il bien activer ? Fred satisfait-il là quelque fantasme saphique ? Se représente-t-il les minettes qu'il pénètre se frottant à d'autres représentantes de leur espèce ? La perspective du mélange des odeurs et des fluides qu'il ne pourra de fait que rêver à distance lui suffira-t-elle à composer de grandes fresques où les femmes s'emmêlent ?

Avec Célia, il avait bien tenté d'aborder le sujet, une fois. Juste une fois.

— Tu délires complètement, mon pauvre garçon !

— Te braque pas... Je suis pas en train de te dire que je veux te voir baiser avec quelqu'un d'autre. J'aimerais juste avoir assez d'éléments pour pouvoir me représenter la chose de manière crédible.

— Alors, c'est ça qui te fait bander, maintenant ? Voir deux filles ensemble ? Me voir brouter du minou ? C'est ça ton trip ?

— Ose me dire que tu n'as jamais mouillé à l'idée de deux mecs ensemble ?

— Ben non, tu vois... Moi, la seule queue à laquelle je pense, c'est la tienne. Et si je devais songer à une autre, je ne pense pas que je commencerais par deux pédés qui se tripotent.

— D'accord, oublie les deux mecs... Mais tu sais bien que les « plans filles » ça excite les garçons ? Je ne t'apprends rien, quand même...

— Non, tu ne m'apprends rien, mais c'est pas pour ça que ça me désole moins. Et pour être honnête, j'ai jamais compris ce qui vous affolait tellement là-dedans.

— Je sais pas... Tout !

— C'est quoi le truc ? C'est parce que ces gonzesses vous échappent ? Parce que ce sont des chattes que vous n'aurez pas ? Parce qu'elles se donnent du plaisir sans vous ? C'est un peu maso, c'est ça ?

— Non...

— Explique-moi, ça m'intéresse.

Il s'était embourbé dans un exposé parapsychanalytique vasouilleux. Et surtout, il n'avait pas su la convaincre. Pourtant, tout ce qu'il attendait d'elle, c'était une photo nue, cuisses légèrement écartées, qu'il pourrait proposer à une autre femme sur l'un des réseaux qu'il fréquentait, en échange d'une vue identique.

— Et c'est quoi, l'étape d'après ? On se frotte le clito sur l'écran ? On s'envoie nos culottes mouillées et on se branle avec, comme deux bonnes copines qu'on est ?

Oui, elle avait vraiment dit ça, plus d'un an avant ce jour-là. Plus par provocation qu'autre chose. Parce que la perspective lui paraissait aussi improbable qu'écœurante.

60

— Laisse tomber…, avait-il conclu, l'air sombre.

Il fréquentait déjà Justine, bien sûr. Mais c'est à partir de là que leur relation épisodique avait gagné en régularité et en intensité. D'une banale histoire de cul, elle était devenue ce lien tendu, électrique, indissoluble. C'est à la suite de cet accroc, aussi, que Fred s'était mis à trafiquer en ligne. Il avait commencé avec des photos volées de Célia – ses sous-vêtements sales, la belle à travers le rideau de la douche, ses seins nus sur la plage. Pour ce faire, il avait même acheté toute une série de petits gadgets électroniques, destinés à la piéger dans les situations les plus scabreuses : briquet et porte-clés caméra posés sur la table de nuit, caméscope HD dissimulé dans une télécommande, micro miniature à placer sous l'oreiller pendant l'amour, faux distributeur de détergent fixé sur le rebord intérieur des toilettes… Ce dernier dispositif lui valait quelques clichés de son sexe en contre-plongée assez réussis.

Tout ce qu'il pouvait grappiller d'elle, lambeaux d'intimité, il le négociait âprement contre ce que les pouffes qui visitaient les mêmes sites que lui voulaient bien lui livrer. Prudent, il se cantonnait volontairement à des éléments numériques qu'il pouvait planquer dans les méandres de son disque dur. Aucun objet. Aucune trace apparente. Rien en surface.

Ce n'est que très récemment qu'il s'était décidé à pousser l'aventure un peu plus loin. Et qu'il avait fait la *rencontre* – peu fortuite – de Poopey.

61

Celle-ci échangerait un string porté deux ou trois jours, fumet fameux, contre n'importe quelle culotte de cette femme blonde, diaphane et longiligne dont il avait produit un cliché. De son point de vue, il n'était pas compliqué de deviner ce qu'elle s'offrait ainsi : une jeunesse et une beauté qui s'envolaient chez elle, chaque jour un peu plus vite.

Poopey s'impatiente. Le curseur sur sa fenêtre clignote convulsivement.

— Alors… On fait comment ? On se voit ou on se les expédie par la poste ?

— Pas par la poste. Pas confiance. Et nos biens sont trop précieux.

— Je ne te le fais pas dire. Au fait…

— Quoi ?

— Tu peux me la montrer ?

— Maintenant ?

— Oui. Mets-la devant la cam.

— OK.

Il farfouille dans la poche de sa veste, jetée négligemment sur le lit conjugal, m'en extrait et me brandit enfin devant l'œilleton électronique, impassible.

— Je vois pas bien. Recule-la un peu.

— Comme ça ?

— Oui… Mais prends l'élastique et tends-le.

Fred s'exécute. Il trouverait presque ça drôle, de jouer ainsi à la marchande de dessous. Pour un peu, il se verrait dans le rôle de ces vendeuses de sous-vêtements à bas prix qu'on trouve encore parfois, sur les trottoirs, à proximité des grands magasins. Les temps ont changé. Tout passe par le réseau mondial, la dépravation comme le reste. Quand même : si on lui avait dit qu'un jour il serait démonstrateur en lingerie sur Internet ! Me voilà exposée de part et d'autre de la toile.

Aucune réaction côté Poopey. Elle a disparu du champ de sa webcam. Pourtant, le voyant vert indique clairement que la connexion n'est pas rompue. Elle est toujours là, quelque part, à l'autre bout.

— Keskiya ? Elle ne te plaît pas ?

— ...

— Poopey ? Tu es toujours là ?

— Oui...

Une moitié de chevelure blonde se profile de nouveau, instable, incapable de rester face au viseur.

— Alors pourquoi tu ne dis rien ? Tu t'attendais à un modèle plus sophistiqué, c'est ça ?

— Non ! s'exclame-t-elle. Non... Elle est vraiment parfaite.

— Elle est très ordinaire, hein... Mais on se fout pas mal du standing de la culotte, n'est-ce pas ? C'est pas ça qui nous excite.

— Bien sûr. Tu as raison.

— On se voit quand ?

— Tout de suite si tu veux.

Il est bousculé par ce soudain empressement. Il en lâche son sexe qui bientôt retombe mollement sur sa cuisse. Ce n'était pas du désintérêt. Je crois au contraire avoir beaucoup plu à notre énigmatique acheteuse. Mais pourquoi ? Quel détail a-t-il emporté son adhésion, jusqu'à la laisser sans voix ?

Non, pour tout vous dire, la seule question qui me taraude alors est : à quelle nouvelle cyprine vais-je maintenant me faire manger ?

6

Poopey est légèrement plus jeune que ce que je m'étais figuré. La vidéo en ligne est trompeuse. Elle déforme et abîme tout. Je remarque juste qu'entre le moment où Fred et elle se sont *parlé* sur Internet et maintenant – il s'est écoulé à peine plus d'une heure – elle a trouvé le moyen de changer de tenue. Un haut turquoise et outrageusement décolleté. Un slim immaculé qui fuselle ses jambes au mieux de leur forme.

Elle n'a pas froid aux yeux. Recevoir un inconnu chez elle avec autant de facilité, sans aucune forme de précaution, n'est pas très prudent. La manière aguicheuse dont elle s'est vêtue, toute poitrine en avant, encore moins.

— Entre, souffle-t-elle en jetant un regard sur le palier, pour s'assurer malgré tout que l'homme qui se présente à sa porte est bien seul.

S'ensuit une rapide transaction, presque muette. Fred m'a transportée dans un petit sac plastique à zip, comme on en utilise pour la congélation des aliments. Il m'en sort et me remet à la blonde refaite – aucune femme de quarante ans n'a des seins aussi fermes ni aussi hauts à l'état naturel – contre le string en dentelle noire déjà aperçu à l'écran. L'homme s'en saisit et, sans même détailler son aspect, le porte à son nez. Il le retourne pour le respirer sous tous les angles, s'attardant sur la bande doublée de coton noir, celle qui entre en contact direct avec le con de sa porteuse. Ce qu'il sent a l'air de lui plaire. Il reste ainsi de longues secondes, les yeux fermés, la bouche entrouverte, à se délecter des effluves imprimés dans les fibres. Comme l'étoffe est de couleur sombre, on y devine quelques traces blanchâtres, preuve que cette pièce a bel et bien été portée.

— C'est parfait..., approuve-t-il avec un large sourire.

De son côté, Poopey s'est contentée de me considérer à distance, les bras tendus à hauteur de visage, mon hippocampe pile face à ses yeux. Fascinée.

— Elle te plaît ? intervient Fred.

— Oui... Beaucoup. Tu sais où l'amie de ton amie l'a achetée ?

— Non, aucune idée. Pourquoi ?

— Hum... Rien, rien.

Je vois bien qu'elle ment. Qu'elle ne lui dit pas tout. Que son intérêt pour moi n'est pas que le fruit de sa fixation érotique sur les culottes des autres femmes. Qu'il y a plus.

— Bon... Eh bien je vais te laisser alors.

— Non ! (Elle le retient d'une main ferme.)
Attends...

— Qu'est-ce qu'il y a ?

— J'aimerais juste...

— Quoi ?

— L'enfiler devant toi. Ça t'embête pas ?

Il est d'abord décontenancé par la proposition. Et puis son œil glisse sur les seins explosifs, sur le cul encore altier de son aînée, sur sa bouche pulpeuse à souhait. Elle n'est pas de ces spectacles qu'un homme tel que lui peut refuser.

— OK... Si tu veux.

Elle veut. Elle veut tellement qu'elle en tombe son pantalon blanc et moulant aussi vite qu'un gamin sortirait un esquimau de son emballage. Elle ne porte rien en dessous, si ce n'est cette impressionnante touffe châtain clair. Fred est captivé. Lui qui n'a jamais connu que ces femmes supposées modernes, affublées de toisons taillées dix mois sur douze, format triangle égalisé ou ticket de métro, il apprécie cette version si foisonnante, si naturelle. Dans la broussaille, les nymphes rosées se laissent entrevoir comme des collines de chair perdues dans une végétation tropicale. Son instinct d'explorateur resurgit et donne une lueur nouvelle à ses yeux.

Poopey s'en fiche pas mal. Ce qui l'excite, elle, c'est moi. Elle passe ses pieds menus dans mes deux trous et me remonte jusqu'à ses fesses en se dandinant. En dépit de son âge, elle ressemblerait presque à une collégienne, avec ce petit chiffon blanc bien calé sur son bas-ventre. Elle tire sur mon élastique et me voilà enfin soudée à ce paquet chaud et touffu qu'elle porte entre les cuisses. C'est agréable et très doux, ces herbes folles qui gonflent ma face avant comme un ballon. Ah ça non, elle n'est pas du format crevette ! Elle m'emplit, elle me comble. Devant comme derrière, avec ses fesses dodues dont les séances de gym intensives peinent à retarder l'inexorable chute.

Quelque chose semble la chagriner cependant. Son matelas pileux est tel, qu'il me tient à distance de sa fente. Alors, d'une main assurée, elle dégage ce rideau velu et de l'autre m'applique à même la vulve humide et charnue. Délicieuse.

— Oh…, soupire-t-elle, les paupières mi-closes. Oh, putain…

L'effet est immédiat. Et cette fois la communication fonctionne dans les deux sens, aussi fluide dans une direction que dans l'autre. Moi, je bois tous les clichés de ses bacchanales – elle a plus d'une nuit de débauche à son actif – et elle aspire en elle tout ce que j'ai déjà accumulé en moi, strates moites des amours de Célia et plus encore de Justine. Personne ne la prend et pourtant elle ressent déjà les contractions du vagin de ma précédente porteuse. Son ventre se gonfle puis se contracte soudain, tel un poumon qui se laisse envahir par l'air, insufflé d'un vent vital. Elle ne connaît ni l'une ni l'autre et pourtant elle se sent une étrange familiarité avec leurs chattes délicates et plus jeunes que la sienne, comme si elles vibraient toutes les trois d'une seule et même jouissance, qu'elles étaient liées désormais par une commune mémoire, nichée au creux de mon hippocampe.

La sensation est si douce et si violente à la fois, que Poopey n'y résiste pas. Elle engouffre un majeur dressé à l'intérieur d'elle et l'agite comme elle voit le sexe de Fred aller et venir en ses maîtresses, unisson merveilleux à travers le temps, l'espace et le plaisir.

Son vis-à-vis est sidéré. Il a beau savoir, par leurs échanges virtuels, que son interlocutrice est pour le moins délurée, il ne s'attendait pas à cela. Surtout, il n'imaginait pas être troublé comme il l'est maintenant, les coutures avant de son jean tendues par son érection, la glissière entrouverte, le gland trempé d'envie. Alors qu'elle se masturbe maintenant telle une forcenée, debout, mais le corps tordu comme un tableau de Bacon autour de son axe du bonheur, il extrait son engin et le branle avec la régularité d'un automate. Sans même s'en rendre compte, il s'est approché d'un pas ou deux. Son gland tuméfié d'envie, violacé de stupéfaction, est maintenant à portée de main de la maîtresse des lieux. Retenu par on ne sait quel scrupule – est-ce les dix ans ou presque qui les séparent ? – il n'ose se projeter plus loin, aventurer sa bite là où personne encore ne l'autorise à se glisser.

Mais, habitée par les images de ce membre en d'autres femmes, ses nouvelles sœurs d'orgasme, elle ne tarde pas à rouvrir les yeux et à attraper cette queue à pleine main, soudain bien décidée à donner à ces mirages la consistance ô combien réelle, dure, brûlante, qu'il dresse devant elle. Bientôt, en elle.

Il l'a prise comme ça, debout, d'un grand coup sec, juste assez fléchi sur ses genoux pour pouvoir la pénétrer dans un angle satisfaisant pour tous deux. Il faut dire que les talons compensés qu'elle porte facilitent la manœuvre. Il déboule en elle comme des malfrats feraient irruption dans une banque. Crack ! Elle gémit à peine quand il entre dans sa fournaise, sa hampe cernée par les volutes grimpantes de ses poils si fournis. Cette femme n'a aucun des attributs qu'il apprécie d'ordinaire. Trop décolorée, trop âgée, trop trafiquée, trop surfaite... Et pourtant le désir qu'il a d'elle est au-delà d'une simple tentation. C'est un impératif. C'est une injonction. Elle le ressent comme ça, elle aussi. Elle s'agrippe désormais à sa nuque et l'incite à aller plus vite, plus fort, plus profond en elle.

Une fois de plus, on m'a tout juste écartée pour laisser le champ libre à l'envahisseur. On fait comme si je n'étais pas là. C'est tout de même un comble, car sans moi, ces deux-là n'auraient jamais copulé comme les bêtes qu'ils sont devenus. Sans moi, elle ne serait pas mue par cette fringale sensuelle de Justine, qui l'habite désormais, et lui confère cette audace. Sans moi, il ne se serait pas jeté sur elle comme un affamé.

Lorsqu'il finit par venir en elle, désormais perchée sur lui comme un koala accroché à son arbre, les jambes croisées derrière ses reins si solides, il a perdu ce qui lui restait de jugement. Il ne sait plus bien dans quel con il est venu, ni à qui appartient cette voix qui lui souffle des « Merci... Merci... » dans le creux de l'oreille.

Ils se détachent l'un de l'autre sans presque se regarder. La femme m'ajuste à nouveau sur la vulve inondée. Je suis à peine placée en face de l'orifice distendu que je sens un paquet de foutre qui vient tomber sur moi et qui imbibe bientôt chacun de mes filaments. Un état qui ne semble pas incommoder ma nouvelle propriétaire. Elle passe au contraire une main entre ses jambes et me plaque bien au creux, pour que surtout rien de ce qui s'écoule d'elle, océan de sperme et de mouille, ne s'échappe.

— Au fait..., Fred se lance le premier. Je peux savoir pourquoi elle te plaît tellement ?

— Qui ça... la culotte ?

— Oui. Après tout, on peut difficilement faire plus ordinaire.

— Oui et non, répond-elle, évasive, le regard fuyant.

Il n'insiste pas. Mais, après s'être éclipsée un instant aux toilettes, minute durant laquelle je peux apprécier l'abondance de sa miction et l'acidulé assez plaisant de son urine, elle revient vers lui et se met à parler. Fred est un peu embarrassé. Autant d'être capturé malgré lui par cet autre débit, tout aussi puissant et régulier, que par les précisions qu'elle lui donne, et qu'il préférerait ne pas savoir, aussi excitante qu'ait été la situation auparavant.

71

Elle lui raconte l'histoire qu'elle a vécue, trois ou quatre ans plus tôt, peu de temps après son divorce.

— J'avais rendez-vous avec un homme que j'avais connu sur Internet... Mais pas le même genre de site que le *nôtre*, hein... Des rencontres plus conventionnelles. Et il se trouve qu'avec mon mari, j'avais pris l'habitude de ne presque jamais porter de culotte. Y compris quand j'avais une jupe ; c'est-à-dire presque tout le temps. Ça l'excitait de me savoir tout le temps disponible pour lui... à portée de main, en quelque sorte.

— J'imagine. Et alors, ce rencard ? Fred la presse de poursuivre.

— Dans le métro, en voyant la tête hilare du type assis en face de moi, j'ai compris que j'avais le sexe à l'air. Autant ça ne me gênait pas en compagnie de Louis, autant là... Je me voyais mal débarquer à un premier rendez-vous la chatte exposée à tous vents.

— Tu as renoncé, c'est ça ?

— Pas du tout. J'y suis allée. Et comme c'est moi qui avais choisi le café où on devait se retrouver, je savais qu'il y avait une boutique de vêtements pas chers, juste à côté. Des dégriffés assez cheap.

Il commence à voir la direction que prend son récit. Il a beau ignorer ma provenance, il se doute que Poopey n'est pas entrée dans ce magasin pour acheter des chocolats.

— Tu y as trouvé une culotte à ton goût ?

— Je ne sais pas trop si on peut parler de goût. Je suis plutôt branchée dessous chics, dentelle noire et tout le tralala... Tu vois le genre.

72

— Je vois, approuve-t-il en pétrissant le string qu'elle lui a échangé.

— Mais celle-là m'a attirée à elle, sans que je ne sache trop pourquoi. C'était un modèle en coton tout bête, avec juste…

— Un hippocampe sur le devant, la précède-t-il.

— Exactement. Le même hippocampe que sur celle que tu m'as donnée.

La belle affaire. Quel scoop ! Elle a retrouvé le même modèle de slip que celui qu'elle avait déniché trois ans plus tôt. Voilà à peu près ce que doit songer un Fred mutique, qui cache mal son impatience et son agacement.

— Bon… Et alors, ce rendez-vous ?

— Aucun intérêt. Un bonhomme tout ce qu'il y a de plus ordinaire, et que je n'ai jamais revu. Non, l'important dans cette histoire, c'est la culotte.

— Vraiment… ?

— Oui. Parce qu'il se trouve que j'ai une grande fille. À l'époque, elle avait tout juste dix-huit ans. Et, un week-end qu'elle passait avec moi, elle n'a rien trouvé de mieux que de fouiller dans mes affaires et de me chaparder la culotte à hippo.

— Elle l'a portée ? Fred est pris d'un regain d'attention, sans doute grâce à l'âge mentionné.

— Elle l'a portée et elle a fini par me la rendre. Plusieurs semaines après, je l'ai mise pour une séance de gym.

— OK…

— Tu ne devines pas la suite ?

— Non.

— En l'enfilant, j'ai ressenti tout ce que le sexe de ma propre fille avait ressenti en la portant.

— Hein ? !

— C'est comme ça que j'ai appris qu'elle n'était plus vierge. Et accessoirement que l'enfoiré qui l'avait dépucelée était l'un des meilleurs amis de son père.

— Attends, attends... Tu es en train de me dire que cette culotte enregistre les sensations sexuelles de celle qui la met ?

— C'est bien ça. Et même mieux que ça : elle ne se contente pas de les mémoriser ; elle restitue tous les souvenirs intimes qu'elle a consignés, si une autre femme vient à la porter.

Fred ne sait pas s'il doit éclater de rire ou partir en courant. Décidément, cette femme est timbrée. Il commence à mieux comprendre pourquoi son mari l'a quittée, pourquoi elle vit seule, pourquoi elle en arrive à refourguer ses strings usagés sur le Net. Mais comme il lui reste assez de galanterie pour ne pas insulter une femme qu'il vient de prendre, il se contente d'un sourire gêné, qu'il aimerait approbateur, et qu'elle prend pour une raillerie.

— Eh, t'es gentil, ne te paie pas ma tête !

— Pas du tout...

— Cette culotte est miraculeuse ! Tu m'entends ? Miraculeuse ! Si tu étais une gonzesse, je te la prêterais tout de suite, et tu verrais toi aussi.

Ce disant, elle s'est gainée à nouveau de son fuseau blanc, et glisse ses fesses rebondies dedans, par à-coups, en sautillant. Me voilà à nouveau prisonnière. Le dernier espoir de retourner à ma légitime porteuse, Célia, ou même Justine, s'envole un peu plus à chacun de ses petits bonds.

Est-ce la vie dissolue de cette femme à la dérive, dont je vais désormais être le témoin involontaire ? Ne connaîtrai-je plus jamais la saveur fraîche d'une moule dans sa vingtaine, douce, rose et savamment épilée ? Suis-je condamnée à tenir la triste comptabilité de ses amants de passage, bites aussi fugaces et anonymes que celle de Fred à l'instant ?

J'en crierais, si j'avais une bouche. J'en pleurerais, si j'avais des yeux. Mais tout ce que je peux faire, c'est me lover contre son sexe détrempé, qui n'en finit plus de déverser sur moi le jus visqueux de ses amours éphémères.

7

Croyez-le ou non, Poopey m'a gardée sur elle durant près de trois jours, sans jamais m'enlever, pas même pour dormir. Elle était accro. J'aurais dû trouver ça flatteur. Mais il fallait bien admettre que je perdais ma fraîcheur à vue de nez. Oui, il était bien question d'odorat. Car à force de récolter une goutte par-ci, un peu de foutre par là, j'étais devenue une véritable éponge, rêche à force d'absorber les couches successives, et distillant un fumet plutôt corsé, où les fragrances intimes s'altéraient peu à peu, sous l'effet de la macération. Bref, je vous passe des détails plus scabreux encore, et fort peu ragoûtants.

Le premier jour, après le départ de Fred, elle s'était contentée de se masturber une bonne demi-douzaine de fois, allongée sur le canapé en cuir de son salon, les jambes largement écartées face à un grand miroir qui couvrait la majeure partie du mur opposé. J'étais là, moi aussi. Hors de question qu'elle me quitte. Selon l'instant, elle se caressait le bouton et le vestibule de sa chatte en ébullition, soit en m'effaçant juste ce qu'il fallait, de manière à passer deux doigts dont elle baladait distraitement la pulpe sur ses zones sensibles, soit à travers la surface de mon coton, rigidifié par le sperme et les reliefs d'urine. Une fois ou deux, elle s'était emparée d'un vibromasseur oblong et de petite taille, aux formes rondes et au toucher très doux, qu'elle avait appliqué directement sur moi. C'était la toute première fois que je subissais pareil traitement. Au début, ce frisson mécanique m'avait agacée plus qu'autre chose. Mais, à mesure que les vibrations régulières parvenaient au capuchon en dessous de moi, je le sentais s'éveiller et se dresser progressivement, me repoussant aussi loin qu'il le pouvait, minuscule totem érigé à l'extrême. Ainsi, je me sentais ne faire qu'un avec son clitoris. Ainsi, je revoyais ces fois où j'avais perçu poindre l'excitation dans celui de Justine. Des images qui remontaient bien sûr jusqu'à ma porteuse du moment, laquelle en profitait pour jouir encore deux fois plus fort, comme si son plaisir et celui de sa devancière se cumulaient dans un orgasme exponentiel.

1 femme qui jouit + 1 femme qui jouit = ? Une femme qui jouit si intensément qu'elle s'oublie à la fin sur moi, de petits jets brefs et puissants d'un liquide translucide jaillissant de son con reconnaissant.

Poopey semblait si heureuse de son troc, si attachée aux mirages libidineux et aux sensations que je lui apportais, qu'elle ne sortait pas de chez elle. Comme les vieux dans la chanson de Brel, elle allait du canapé au lit et retour. Mais pas vraiment pour les mêmes motifs…

Je ne sais pas bien de quoi elle pouvait vivre. C'était le genre de femme à avoir obtenu une confortable rente, lors du divorce. Il était donc tout à fait envisageable qu'elle n'ait eu d'autre occupation ni d'autre contrainte, à longueur de journée, que de sacrifier aux exigences absolument dévorantes de sa libido. Alimenter son imaginaire sur des sites tels que celui où elle avait croisé Fred, se branler, se trouver des partenaires à la hauteur, peaufiner sa silhouette pour rester suffisamment appétissante, tel était manifestement son ordinaire. Elle grignotait à peine, deux fois par jour, un rata qui sentait le thon et le citron, et qu'elle ne finissait jamais. En revanche, je la voyais boire litre sur litre d'une eau minérale en bouteille de verre, une marque nordique qui devait lui coûter les yeux de la tête. Après chaque rincée, elle se précipitait aux toilettes où elle se vidait longuement, me glissant juste assez sur le haut de ses cuisses pour laisser passer le jet sans m'éclabousser tout à fait.

Le lendemain, deuxième jour de ma présence sur ses fesses et contre son sexe, elle avait reçu trois hommes. Successivement. Un type assez jeune et athlétique, sorte de clone blond de

Fred ; un métis longiligne, aux yeux magnifiques et aux cheveux tressés ; et enfin un homme plus petit, très brun et trapu, aux épaules incroyablement larges et aux muscles très saillants. Le plus frappant était surtout que tous avaient l'âge – ou presque – d'être ses fils.

Le premier l'avait prise dès l'entrée, le cul de madame posé sur la console où elle déposait son courrier, au milieu des trousseaux de clés et des enveloppes décachetées. Une fois de plus, elle n'avait qu'à écarter le rideau étroit et léger de ma bande molletonnée, pour offrir un accès direct à son intimité. L'homme s'était d'abord agenouillé, et l'avait lapée un long moment, à petits coups de langue experts, précis, titillant à dessein les pourtours du capuchon, avant de plonger, dardé comme une flèche, à l'intérieur du berlingot déjà humide. Il s'était ensuite amusé un long moment à badigeonner les lèvres, petites et grandes, ainsi que l'entrée du vagin grand ouvert, avec son gland luisant d'impatience. Une manière de mettre à l'épreuve les nerfs de Poopey, qui avait fait ressortir (de moi) toutes ces fois où Justine s'était trouvée dans cette position de faim de sexe inassouvie.

Son successeur, quelques heures plus tard, lui avait fait l'amour à la paresseuse, de manière alanguie, collé dans son dos en cuillère, la pénétrant avec douceur de sa queue longue et fine, sans mouvement brusque, coulant son va-et-vient dans une houle de plaisir.

Le dernier était son exact opposé, sorte de marteau-pilon humain, doté d'un engin presque plus large que long, plus semblable à un gros bouchon de champagne qu'à une bite ordinaire. De fait, il n'allait pas très profond en elle et, à chaque fois qu'il ressortait, le rebord de son gland protubérant manquait s'accrocher à mes coutures extérieures. De cet incident mineur, et de la fougue avec laquelle il martelait le con dilaté de ma porteuse, surgirent mes souvenirs de folles chevauchées – enfin, celles de Justine – ces fois où la jeune femme s'était sentie comme envahie, plaquée par une équipe de rugby au complet, piétinée par un troupeau de buffles en furie, laminée sur toute sa surface et traversée de part et part, sous l'action de cette lance qui cherchait à percer ses chairs et leurs secrets. Une fois de plus, la blonde quadragénaire avait joui doublement, mêlant sans vergogne son plaisir et celui de cette inconnue, comme certains cumulent des mandats.

Pourtant, une fois cette frénésie légèrement retombée, je sentais bien que quelque chose n'allait pas. Difficile de le lui demander, vu ma position. Je n'arrivais pas à expliquer ce soudain vague à l'âme dont elle semblait souffrir. Je ne pouvais que ressentir l'irritation de son sexe ramoné jusqu'à la corde, un peu flapi, prématurément vieilli par l'usage exalté qu'elle en faisait depuis qu'elle avait recouvré son célibat. Sa lassitude venait-elle de ce récent trop-plein de sensations ?

À moitié débraillée, elle traîne ainsi depuis le début de cette journée, la troisième depuis que

Fred est passé et m'a remise à elle. Pas même une petite branlette pour égayer les heures qui s'égrènent mollement.

Puis soudain, elle se rue sur son ordinateur et se connecte à son site de prédilection. Par chance, Fred est là, en ligne, fidèle au poste. Ses doigts volent sur le clavier. Elle envoie son premier message.

— Si je te suis bien, tu veux que je récupère la culotte à l'hippo pour la faire porter par d'autres filles ?

— C'est ça...

— Quel intérêt pour toi ?

— Les effets sont puissants, mais disons qu'on se lasse assez vite de ressentir les émois d'une seule et même personne. Aussi active sexuellement soit-elle. Et aussi doué son partenaire.

— Merci, accepte-t-il le compliment.

— J'ai besoin de plus de... variété.

— T'es vraiment une grande malade, tu sais ça ?

— Je suis super sérieuse. Je peux te payer, si tu la fais porter par d'autres de tes minettes.

— D'abord je ne fréquente pas autant de « minettes » que tu crois... Et ensuite je me vois mal proposer un délire pareil à une fille que je connais à peine.

— Elle n'est pas obligée de savoir d'où vient la culotte.

— Non, écoute... C'est vraiment n'importe quoi.

— Merde, Fred ! C'est toi qui m'as refilé cette came ! C'est à toi de m'aider, maintenant...

82

Un long blanc s'écoule à l'écran, animé par le seul clignotement du curseur.

— J'ai peut-être une idée pour toi...

— Vas-y.

— T'as déjà entendu parler des Burusera ?

— Buru-quoi ?

— C'est un mot japonais. Ça désigne les échoppes qui échangent et vendent des petites culottes usagées.

— Tu déconnes... ça existe vraiment ? Je veux dire, en dehors du Net ?

— Au Japon, oui. Depuis que les Américains ont importé la culotte chez eux après la guerre, ils en sont dingues. Des vrais fétichistes du slip.

— Bon, super... Et en quoi ça m'avance ?

— Figure-toi que le premier Burusera français a ouvert à Paris, il y a quelques semaines.

— Tu y es déjà allé ?

— Non... Mais d'après ce que j'ai entendu, ça vaut le détour.

Je sens l'espoir de ma blonde décolorée retomber aussi vite et aussi vrai que sa chatte se rétracte autour de moi.

— Hum... Et en quoi ça se différencie des échanges de culottes usagées en ligne ?

— Déjà parce que l'échange est garanti par le type qui tient ça. Et ensuite, parce que pour les timides chroniques il propose un distributeur.

— Un distributeur de quoi ?

— Ben de culottes, pardi !

— Sales ?

— Évidemment, sales. Sinon où est l'intérêt ?

— OK... Et comment je fais pour récupérer mon hippocampe, moi, après ?

— Ça... Faut que tu voies avec lui. C'est un type plutôt arrangeant.

Poopey, malgré son pseudo grotesque, n'est pas née de la dernière pluie. Elle sait bien ce que « arrangeant » veut dire dans ce type de milieu. Le réalisateur de film porno qui donne sa chance à une petite nouvelle après l'avoir essayée, lui aussi est arrangeant. De même que le proxénète qui rembourse pour l'une de ses filles ce qu'elle doit à son passeur. Tous très accommodants, ces hommes-là, pourvu qu'ils y trouvent leur compte à eux, dans leur con à elles.

Elle imagine le tenancier gras, veule, dégoulinant de lubricité. L'idée de passer à la casserole avec un tel type ne l'enchante guère, mais après tout...

Dès l'après-midi, elle se rend à l'adresse indiquée par Fred. La boutique est nichée dans un quartier plutôt inattendu pour ce genre de commerce, aux confins du quinzième, près de la porte de Versailles. Vu de l'extérieur, c'est plutôt coquet d'ailleurs. On dirait l'un de ces sex-toys-shops modernes qui cherchent à s'offrir une respectabilité par le côté propret de la déco. Mais la porte passée, on sent bien que ce qui est proposé ici est moins entré dans les mœurs que le petit vibro de poche de madame. À perte de vue, des portants où pendouillent une infinité de dessous, de couleurs et de formes très diverses.

La bonne surprise en revanche, c'est...

— Simon, dit un grand brun aux cheveux longs en traversant la boutique et en lui tendant la main. Bonjour !

À mesure qu'il approche, elle constate à quel point ce garçon est magnifique, le nez très droit, le visage long et anguleux, les yeux profonds. Surprise par un accueil si chaleureux, elle répond à son salut par un petit geste distant et confus, pianotant le vide du bout des doigts.

— Bonjour...

— Qu'est-ce que je peux pour vous ? Vous êtes vendeuse, ou acheteuse ?

— Plutôt vendeuse...

— Plutôt ?

— C'est un peu compliqué à expliquer, bredouille-t-elle.

— Vous savez, en la matière, plus grand-chose ne me surprend. Pour l'instant je suis le seul en France à faire ça, donc tous les *fetish* du pays viennent me voir. Alors... C'est quoi votre truc à vous ?

Poopey se racle la gorge, puis se lance.

— J'aimerais que ma culotte soit portée par une autre femme... idéalement, plusieurs. Et pouvoir la récupérer quand ça aura été le cas.

— Vous voulez faire une sorte d'échange, c'est ça ?

— Non. Je ne veux pas de la leur. Je veux juste qu'elles portent la mienne.

— Je vois... C'est pas une demande banale, en effet, mais ça doit pouvoir se trouver. Et cette culotte, elle est où ? On peut la voir ?

Elle me prend alors à pleine main, sa jupe relevée, et me descend devant lui, comme si elle était chez le médecin, sans aucune pudeur. Un instant, il aperçoit la généreuse toison qui déborde, puis elle se rajuste et lui tend le petit bout d'étoffe blanc que je suis sous son nez, toute maculée en mon centre.

À voir sa tête, je dois sacrément embaumer à la ronde.

— Euh... Je ne voudrais pas être désobligeant... Mais vous la portez depuis longtemps ?

— Plusieurs jours.

— D'accord... Et c'est ça qui vous branche, n'est-ce pas, que des femmes portent une culotte que vous avez déjà salie...

— Et qu'elles la salissent encore plus, oui.

Il a beau être blindé, je vois bien que la situation le dépasse un peu. Très vite, pourtant, il se ressaisit.

— Bien... Je ne vous cache pas que je vais avoir du mal à dégotter une femme qui entre dans ce genre de combine.

— Vous dites ça à cause de l'état de ma culotte ?

— Non... Plutôt à cause du retour. Le genre de gens assez fondus pour acheter *ça* n'envisagent généralement pas de le restituer. En revanche... J'ai peut-être une solution qui pourrait faire la farce.

— Comment ça ?

— Venez.

Il l'entraîne jusqu'à son comptoir, passe derrière et d'un petit tiroir métallique, il sort un objet à peine plus gros qu'une tête d'épingle. On dirait un composant électronique.

— C'est quoi ? demande Poopey, intriguée.

— Une puce RFID active. Un traceur électronique, si vous préférez. Je l'ai achetée pour un client qui aime les mises en scène tordues.

— Qu'est-ce que vous allez faire avec ça ?

— Le glisser dans la couture de votre slip. Et avec ceci…

Il extrait maintenant un boîtier de la taille d'un téléphone mobile, et doté lui aussi d'un écran LCD.

— … je vais pouvoir suivre votre petite culotte comme si elle était l'ennemie publique n° 1 !

— Incroyable…, Poopey en reste bouche bée.

Aussitôt dit, aussitôt étalée sur le plateau de bois lustré. Simon m'embroche la couture de la taille avec son épingle. Il plisse mon revers jusqu'à faire disparaître totalement l'objet mince et si peu épais à l'intérieur. Me voilà piégée. Prête à vivre la grande aventure.

Je suis la James Bond girl des culottes !

8

Ce que je n'avais pas vraiment anticipé, c'est que ma grande aventure exaltante allait commencer enfermée dans une boîte vitrée. Parfaitement close. En tous points identiques à ces distributeurs de boissons dans les lieux publics.

Aussitôt remise par Poopey la blonde, j'ai été rangée par Simon-le-vendeur-de-culottes-usagées dans un étui en plastique comparable à celui dans lequel j'avais été achetée, dûment équipée de mon mouchard. Puis, à l'aide d'une clé spéciale, il a ouvert la face avant de l'engin, et m'a rangée dans l'un des très nombreux racks métalliques. À mes côtés, sagement alignées, une bonne trentaine de mes congénères s'ennuyaient ferme. Le diable du sexe seul sait depuis combien de temps elles moisissaient là. J'ai tout de suite mesuré à qui j'avais affaire : la plupart étaient des modèles de marque, souvent en dentelle, dans tous les cas beaucoup plus sophistiquées que moi. D'ailleurs, aucune n'a pris la peine de me saluer, à mon arrivée. Comme ces petits hommes verts qui espèrent être libérés par le grappin dans *Toy Story*, elles n'étaient concentrées que sur une seule chose : l'intervention potentielle d'un client.

En attendant cette éventualité, me voilà coincée ici. À profiter du paysage. Pas très exaltant, d'ailleurs, car on ne peut pas dire que la boutique soit envahie de monde. En même temps, on est en semaine, en plein après-midi. J'imagine que ce genre de commerce fonctionne surtout le week-end, et plus spécifiquement le samedi soir. Et comme il n'y a personne pour les déranger, Simon et Poopey n'ont pas tardé à imaginer comment occuper le temps. Non sans avoir dûment bouclé la porte sur rue, et tiré un rideau pudibond sur leurs activités. Cela fait, elle s'agenouille devant lui et extrait sa queue avec empressement. Elle l'a contemplée un bref instant, puis se met à la sucer avec une évidente voracité, comme si elle ne s'était pas nourrie depuis des semaines. Ou faute d'aliments aussi appétissants.

La suite ressemble à ce que j'ai déjà pu observer dans son appartement, avec ses divers amants de passage. L'échantillon est certes un peu faible pour établir des statistiques, mais j'en retiens néanmoins quelques indications sur les préférences de madame : fellation prolongée, pénétration profonde par un partenaire posté face à elle en station debout, sodomie en bouquet final. Son partenaire du moment ne semble pas se plaindre du programme. Il finit labourant

90

ses reins à grands coups des siens et, toute dilatée que soit sa petite fleur, elle pousse des cris où un peu de douleur le dispute clairement au plaisir ressenti.

Moi, ça me fait bizarre d'être simple spectatrice. Depuis mon éclosion, je me suis habituée à toujours être là, aux premières loges, à même leurs sexes, mouillés impatients. Être ainsi reléguée au balcon de leurs amours me plonge dans un état étrange. Comme une distance. Ces images qui se bousculent d'ordinaire hors de moi, celles de toutes les scènes passées, restent prisonnières de mes fibres. Bien au chaud au cœur de mon coton. Alors, tandis qu'il vient en elle avec des brames déchirants, j'en viens moi aussi à implorer le dieu du sexe de m'offrir une prochaine libération. Qui sait…

Ils savent. Un homme et une femme, plantés devant l'entrée, dans la rue. Ils tapent maintenant contre la vitrine, visiblement contrariés d'avoir trouvé porte close, à une heure correspondant pourtant en principe à l'ouverture du magasin. Ils mettent les mains en visière contre la paroi réfléchissante pour essayer de deviner ce qui peut bien se passer à l'intérieur. C'est Monsieur qui le premier aperçoit l'homme et la femme accouplé contre le comptoir, et qui tire Madame par la manche pour qu'elle vienne profiter à son tour de la vue. Ils semblent apprécier ce qu'ils aperçoivent et, du coup, manifestent quelque chose comme de la compréhension. À voir Monsieur farfouiller dans ses poches et pétrir sa bite à travers le tissu, on dirait même qu'il ne cracherait pas sur un peu de participation active.

Quand Poopey sent enfin la présence des deux importuns de l'autre côté de la baie vitrée, elle éjecte Simon, et rabaisse prestement sa jupe froissée, qui ne couvre plus ses cuisses qu'à moitié, laissant entrevoir à un œil attentif sa moule grande ouverte, aux lèvres gonflées et blanchies de foutre.

— Va servir tes clients, lance-t-elle.

Simon se précipite vers la porte, non sans avoir attrapé ses clés au passage, et s'empresse d'ouvrir aux deux impatients, qui roulent des yeux brillants de lubricité.

— Ça a l'air sympa, chez vous... Vous avez ouvert y a longtemps ? s'enquiert Monsieur.

— Non, ça fait deux mois, répond le beau brun en grimaçant un sourire. On est très spécialisés. On ne vend que...

— Oh ! je sais très bien ce que vous vendez, le coupe le client. Ma femme et moi avions vu des boutiques comme la vôtre à Tokyo, et on était très excités à l'idée que le concept débarque en France.

— Eh bien... Voilà, Simon balaie l'espace d'un geste ample du bras. Je vous laisse découvrir ça tranquillement.

— Chéri ! Chéri, regarde !

Sa bourgeoise s'est plantée pile face au distributeur. Face à moi. Comme les humains aiment à dire vulgairement, elle a quelques heures de vol. À cette distance, son nez collé à la vitre, je

92

peux apprécier les poches sous ses yeux, les mille et une rides qui ruissellent sur tout son visage, et cette denture qui n'est pas non plus de la première fraîcheur. Demeure pourtant en elle une forme d'aura, un léger filtre qui nimbe encore son visage d'un attrait canaille, un parfum de stupre auquel les hommes de tous âges sont certainement sensibles. Avec une aussi belle maturité, elle doit cartonner dans les soirées échangistes.

— Quoi ?

— Tu vois pas ? Un distributeur de culottes, comme à Kabuki-chö !

— Ah oui, dingue… T'en veux une ?

— Pourquoi pas…

Son expression se fend d'un sourire en coin.

Simon a noté l'intérêt du couple et, délaissant Poopey qui surveille elle aussi la scène d'un œil attentif, il s'approche.

— Je peux vous conseiller ?

— Elles sont toutes garanties portées naturellement ?

— Oui, pas de salissure artificielle. Toutes les traces et toutes les odeurs sont 100 % d'origine.

— Alors pourquoi elles sont moins chères que celles sur les cintres ? S'interroge Madame.

— Tout simplement parce que les modèles eux-mêmes sont un peu plus simples. Et puis, pour ne rien vous cacher, j'avais prévu de mettre le distributeur dans la rue, en libre service 24/24, comme ils font au Japon. Mais on a essayé de me le fracturer dès le premier soir… Donc j'ai été obligé de le rapatrier à l'intérieur.

— Pfff... C'est terrible quand même, s'insurge Monsieur. Les gamins ne respectent plus rien...

Ce que Simon ne raconte pas, c'est que les commerçants du quartier, ainsi que quelques associations de parents, n'ont pas vraiment apprécié l'ouverture de son échoppe. Passe encore qu'il procède à son odieux commerce à l'abri des regards. Mais l'installation de sa machine à culottes imbibées de pipi sur le trottoir a suscité un tollé. Dès le premier jour, en effet, une délégation de gros bras lui a très aimablement demandé de remiser sa « cochonnerie » à l'intérieur.

— Alors, laquelle vous tente ?

— J'aime bien celle-là. Elle est chou.

Madame vient de me désigner d'un ongle manucuré et lustré d'un vernis écarlate.

Je ne la vois pas, mais je sens Poopey bouillir d'agitation, à l'idée que je sois bientôt portée par cette autre. Elle contient sans doute l'envie de se manifester, de leur crier « c'est moi qui l'ai salie ! C'est ma chatte qui l'a mise dans cet état-là ! ». Mais il doit être plus enivrant encore de se taire, d'imaginer la suite, et de laisser le dispositif ingénieux de Simon faire son œuvre.

— Vous connaissez celle qui l'a portée ? interroge Monsieur, la lippe humide.

— Ça... vous vous doutez bien que je suis tenu à la confidentialité la plus stricte. Si je la romps, c'en est fini de ce magasin.

— Je comprends, je comprends..., Monsieur soupire, son approbation résignée.

— Et on ne peut pas juste savoir si elle brune, blonde, ou son âge ? intervient celle qui ne tardera plus à m'enfiler.

— Ces infos-là sont indiquées sur la petite fiche dans la pochette : couleur de cheveu, carnation, tranche d'âge. C'est tout ce que je suis autorisé à vous communiquer.

Le couple s'envisage un instant en silence, puis Madame se jette à l'eau.

— Bon, on la prend ?

— OK, OK, grommelle Monsieur en sortant sa carte bancaire.

Il introduit celle-ci dans la fente prévue à cet effet, compose son code sur le clavier, puis appuie sur l'un des numéros proposés sur les gros boutons en façade. Pleine de pisse et de cyprine, je vaux dix fois le prix que Célia m'avait payée dans son petit bazar. Allez comprendre…

Autour de moi, je perçois les vibrations du mécanisme qui se met en branle. Toutes mes camarades s'agitent comme si une sorte de Parkinson s'était emparée d'elles. Moi aussi, pour tout vous dire. Et soudain, c'est la chute ! Le tortillon métallique qui me maintenait en suspension a fait trois tours sur lui-même, jusqu'à m'éjecter et me lâcher dans le vide. J'atterris dans un réceptacle en métal sombre, et froid, où une main bagousée vient aussitôt m'extraire, à travers une trappe.

Chez Madame et Monsieur, un trois-pièces sans charme dans une tour des bords de Seine, plus loin dans le quinzième, on ne perd pas de temps. À peine entrés, les vestes balancées au jugé sur les fauteuils, et la maîtresse des lieux me sort de mon étui plastique. Elle paraît subjuguée. Elle ne manifeste aucun dégoût quand elle plonge son nez dans mon entrejambe au fumet si prononcé, aux zébrures jaunes et blanches. Au contraire. Elle hume, hume et hume encore, à s'étourdir, comme si elle n'en avait pas assez.

— Tu la mets ? la presse Monsieur.

— Attends… Je profite de l'odeur. Sens.

Il flaire à son tour et lève un sourcil étonné.

— Dis-moi…

— Quoi ?

— J'ai l'impression qu'il y a plusieurs *parfums*…

— Fais voir !

Elle s'immerge à nouveau dans mon coton odorant.

— T'as raison… Elle a touché plusieurs minous.

— Incroyable.

Il en baverait presque.

— J'y vais ?

— Oui, enfile-la, c'est un vrai *collector* ! On en retrouvera jamais une comme ça.

Dont acte. Elle glisse ses pieds l'un après l'autre dans mes ouvertures, et me remonte avec souplesse jusqu'aux fesses, qu'elle a fermes et bien placées pour son âge. Alors je lui injecte tout ce que j'ai en moi comme un véritable shoot. Sa vulve un peu flétrie est instantanément parcourue par une onde nouvelle. Le courant qui s'empare d'elle s'empare de tout son corps, et cambre ses reins comme une main autoritaire.

— Ça va ? s'inquiète Monsieur.

— Ah oui… oui, pour aller, ça va très bien ! Elle affiche un sourire béat.

— T'es sûre !

— Prends-moi !

— Hein ?

Elle grogne, échauffée par le manège enchanté qui l'habite maintenant.

— Prends-moi tout de suite, putain… !

Monsieur ne se fait pas plus prier. Ses mains posées sur la taille à peine épaissie par les ans, il la fait tourner comme une danseuse de rock, laquelle lui présente bientôt son cul. Il n'a plus qu'à relever le pan arrière de sa jupe, à me baisser d'une main, juste ce qu'il faut pour dégager les lèvres déjà trempées, et à plonger en elle d'une avancée ferme, l'autre paume posée en corbeille sous le ventre de Madame pour mieux la plaquer contre lui.

— Oh non, non, NON !!! hurle-t-elle bientôt.

— Je te fais mal ?

— Pas du tout, continue !

— Qu'est-ce qu'il y a alors ?

— Tu peux pas savoir… C'est comme si dix queues me prenaient en même temps ! C'est du délire !

Son vagin aussi devient multiple. Aussi élastique que celui de Célia. Aussi sensible que le fin conduit de Justine. Aussi glouton que le four de Poopey. Être plusieurs femmes qui jouissent à la fois la transforme plus sûrement encore que cette profusion de gland et de sperme. Elle se sent modelée par les désirs de ces inconnues. Elle aimerait être la somme de leurs plaisirs, la femme absolue, jeune et vieille, belle et moche, orgasmique en diable ou aussi frigide qu'un glaçon, le tout dans le même instant, dans la même seconde de plaisir. Tout le bonheur des femmes encapsulé dans son con.

Et à chacune de ses incursions, elle perçoit aussi les contours changeants de son membre à lui, qui l'emplit à chaque fois de manière différente. Quand il explose enfin en elle, pompier d'une intarissable lance, elle ne saurait dire quel visage il revêt alors. Et, au fond, tout au fond d'elle, peu lui importe.

Elle m'adore.

9

À partir de cette séance inaugurale, ce climax en guise d'apéritif, Madame ne me quitte plus. Je vous rappelle au passage qu'il y a moins de quatre ou cinq jours que j'ai été sortie de mon emballage, que depuis quatre femmes différentes m'ont portée et je n'ai toujours pas bénéficié du moindre lavage. Je sens si fort que je me dégoûterais presque moi-même. Mon entre-jambe est si imprégné de liquides divers, asséchés et solidifiés, qu'il a perdu toute souplesse. Il frotte contre la vieille chatte de Madame comme une râpe à fromage.

Mais elle, ça ne paraît pas l'incommoder plus que ça. Au contraire. La seule idée que je sois la dépositaire de tous ces ébats passés, le concentré de tant d'orgasmes, suffit à l'enchanter. Je ne connaissais pas le couple avant mais il semblerait d'ailleurs que ma présence parmi eux ait redonné un coup de jeune – et quelques coups de bite, aussi – à leur histoire naphtalinée. Il faut que je m'y fasse. J'ai bien cette vertu.

Ce qu'aucun des deux n'a perçu, c'est la présence de cette puce électronique contre l'élastique qui me maintient sur la taille grassouillette. Ce qu'aucun des deux n'a entendu, ce sont ces pas dans la cage d'escalier, ceux de Simon, tapi en embuscade, son détecteur en main. Ce qu'aucun des deux n'a su, c'est que ce dernier m'a suivie jusque chez eux, grâce à son ingénieux dispositif, et que, selon la promesse faite à Poopey, il ne me lâchera plus. Il n'a encore aucune idée de la manière dont il pourra bien me récupérer, quand…

Au même moment, au labo de Célia…

Justine entame son premier jour de travail, le cœur battant. Elle a retenu la leçon de son entretien d'embauche et porte un jean, serré juste ce qu'il faut, plutôt qu'une jupe. Les collègues masculins des deux jeunes femmes n'ont pas manqué de remarquer ses formes avantageuses, mais, dans ce milieu-là, on range vite ses yeux dans son microscope, et ses mains dans ses poches.

— J'arrive pas à croire qu'on bosse ensemble ! s'exclame Célia. Je suis trop contente.

— C'est génial, hein ?

— Oh, au fait… Ça va te paraître complètement idiot, vu la chose… Mais tu pourras me

100

rendre la culotte que je t'avais passée le jour de ton rendez-vous ici ?

— La culotte… ?

Justine fait mine de ne pas comprendre.

— Oui, l'hippocampe… Celle que tu as enfilée dans les chiottes du café ! Tu te souviens, quand même ?

— Ah, celle-là… Oui… Oui, bien sûr. Tu y tiens tant que ça ?

— Oui, Célia rougit légèrement.

— Qu'est-ce qu'elle t'a fait cette culotte ? Elle est super ordinaire.

— Tu vas te moquer de moi.

— Meuh non, vas-y, accouche.

Elle reprend son souffle et se lance.

— Je ne l'ai pas montrée à Fred, le matin où je l'ai achetée au bazar. Et il veut la voir… voilà.

— Depuis quand il s'intéresse à tes culottes, celui-là ? s'offusque Justine, soudain raidie.

— Eh bien… Disons qu'il est un peu plus « empressé » avec moi, depuis quelques jours. Donc j'imagine que ça l'excite de voir le dessous que je viens d'acheter.

— Et tu lui as dit que tu me l'avais prêtée ?

— Non. Ça ferait un peu tordu, tu trouves pas ? Je lui ai juste raconté que je la trouvais plus dans le panier de linge sale.

Trois heures plus tard, à l'hôtel bleu…

Justine est en colère contre Fred, mais elle n'ose toujours pas lui avouer que cette fameuse culotte qu'elle portait l'autre jour, c'est-à-dire moi, c'est bien Célia qui la lui a prêtée. Vu la scène qu'elle lui a faite la dernière fois, elle ne peut plus se dédire. Et pourtant, elle enrage à la perspective d'un rapprochement sensuel entre son amant et son amie.

Et tout ça à cause de cette conne de culotte ! bout-elle intérieurement.

Mais, dans l'immédiat, elle n'a d'autre choix que de me réclamer à celui qui l'embrasse déjà dans le cou, avec fièvre, prêt à la culbuter sur le lit. Le plus absurde, dans cette histoire, c'est qu'elle sait pertinemment que quand Fred me verra sur Célia, il me reconnaîtra aussitôt. Et qu'il saura alors que Justine lui a menti.

— Attends..., le repousse la brunette.
— Ça va pas ?
— Si... J'ai juste un truc à te demander.
— Quoi ?
— La culotte que je t'ai donnée l'autre jour...
— Celle de ta fameuse copine ?
— Oui. Elle veut la récupérer.

Il se fige et laisse retomber pesamment la jolie brune qu'il tenait enlacée sur la couette encore intacte.

Au fil de la journée...

Tout s'emballe. Fred cherche désespérément à joindre Poopey, qui ne répond à ses dizaines de messages alarmistes qu'en début de soirée. Lorsqu'elle sort enfin de son silence, il lui explique dans quel guêpier en forme de slip il s'est jeté de lui-même, comme un idiot.

— Ah oui, mais mon p'tit bonhomme, le problème c'est que moi je ne l'ai plus, ta satanée culotte. Je suis allée à l'adresse dont tu m'avais parlé.

— La poisse ! Et tu l'as laissée là-bas ?

— C'te question... Bien sûr ! D'ailleurs le patron est à croquer...

— C'est encore ouvert, tu crois ?

— Sais pas. Mais si tu veux, on peut aller voir.

Ça tombe bien, Célia avait prévenu qu'elle rentrerait tard, ce soir-là, un essai capital à finir.

Poopey et Fred débarquent au Burusera du quinzième trente minutes plus tard, mais Simon n'est pas là. Son remplaçant, un boutonneux lymphatique, se fait tirer l'oreille – et aussi autre chose, la blonde liftée usant de son talent dans les travaux manuels – puis finit par livrer le numéro de portable du commerçant. Il est toujours en planque dans l'immeuble de Monsieur et Madame. Lesquels font une drôle de tête quand, sur le coup de 22 h 30, alors qu'ils se chevauchent avec fougue sur le canapé, un grand type costaud et à l'air peu commode, flanqué du vendeur de culottes et de la femme avec qui il s'amusait dans son magasin, sonnent à leur porte. Et réclament la culotte que porte Madame, celle du distributeur. Toujours moi.

— C'est hors de question ! s'écrie la bourgeoise aux seins avachis.

— Nous avons acheté cette culotte en toute légalité. J'ai encore le ticket de carte bleue pour le prouver ! abonde son mari.

Un bourre-pif et quelques claques plus tard, je repars de chez Monsieur et Madame, dépités et débandants, à nouveau bien calée dans la poche de Fred. Retour à la chatte départ, ou presque. Après avoir remercié ses deux acolytes, il lui reste encore à me nettoyer dans une laverie opportunément ouverte la nuit. Un seul cycle rapide, trois ou quatre tours de sèche-linge, et me voilà presque aussi pimpante qu'au jour de mon déballage. C'est à peine si un vague halo est encore perceptible çà ou là. Dans une épicerie 24/24, il trouve des enveloppes au format A4 et me glisse dans l'une d'elles, qu'il dépose dans la boîte aux lettres de Justine, à l'issue d'une dernière traversée de la capitale, à fond de scooter.

Il est une heure passée. Il peut enfin rentrer chez lui, où Célia vient tout juste d'arriver.

— Ben t'étais où ?

— Oh, au ciné… J'ai profité que tu bossais.

— Ah, d'accord. T'as bien fait.

— Tiens, et Justine alors, ça s'est bien passé son premier jour ?

— Oui, je crois… Bon, elle a pris deux heures pour déjeuner avec une soi-disant vieille copine du lycée. Mais à part ça, nickel.

— Cool… Rien à voir, mais tu as pensé à chercher ta nouvelle culotte ?

— Chéri, je viens de rentrer…, soupire Célia. Je ferai ça demain. Allez, viens te coucher.

Le lendemain matin

Au café en face du labo. L'enveloppe kraft dans laquelle j'ai passé une nuit affreuse – exiguïté, froid, et tous les bruits inquiétants qui hantent le hall d'un immeuble – passe à nouveau de mains en mains, jusqu'à sa source.

— Merci, hein… Tu me sauves. Je sais pas pourquoi il fait fixette sur une culotte qu'il n'a jamais vue. Mais bon…

— Pas de quoi, Justine esquisse un sourire contrit.

Elle sait que ce geste signe l'arrêt de mort de sa relation avec Fred. Tout au moins, c'est ce qu'elle redoute. Aussi affranchie soit-elle, c'est bien elle la maîtresse, la femme de l'ombre, la fille sans légitimité et qui ne peut prétendre à rien. Une situation qui, avec le temps, a entamé sa confiance en elle, sa joie de vivre, jusqu'à son goût si prononcé pour les choses du sexe.

Le soir du même jour…

Dans le secret de la salle de bains, tu me sors de ma prison de papier marron. Toi, Célia, ma seule et légitime propriétaire. C'est bien moi, tu me reconnais à mon petit symbole brodé, à mes ourlets un peu larges, à cette simplicité enfantine qui t'a plu lorsque tu m'as achetée. Et pourtant, tu jurerais que quelque chose en moi a changé. Si seulement je pouvais te parler ! Si seulement je pouvais te faire le récit de mes exploits. Mais, après tout, le lavomatic ne m'a peut-être pas rendue si vierge qu'il n'y paraît. Sans le savoir, tu as peut-être raison. Ces traces invisibles qui me souillent encore ont peut-être conservé certains pouvoirs. Certains souvenirs.

Hésitante, presque tremblante, la blonde longiligne que tu es retire son slip du jour et l'abandonne à même le carrelage. Tu te perds dans je ne sais quelle rêverie, les yeux perdus dans le spectacle de ta propre toison, dont les reflets roux flamboient dans le miroir. Puis enfin tu te décides et passes tes jambes dans les ouvertures élargies par mes porteuses plus replètes. De fait, je te semble moins ajustée que dans ton souvenir. Pourtant, tu en es sûre, tu n'as pas perdu un gramme ces derniers jours.

La première décharge est si violente qu'elle te plie en deux, un choc aussi brutal qu'un coup de poing au plexus. Les images qui te submergent ne défilent même pas, elles se bousculent, elles se ruent en toi, tsunami de visions érotiques où tu peines à distinguer les corps, et plus encore les visages.

Passé cet instant, le souffle court, une main appuyée sur le rebord du lavabo, tu sens la seconde salve monter en toi, comme un grondement sourd qui partirait de quelque part entre tes cuisses et exploserait aussitôt en une infinité de fragments. Une grenade de plaisirs. Ton sexe se met à se contracter de manière désordonnée. Il se gonfle puis se resserre soudain, entre la peur de ces sensations inconnues et une envie irrépressible de toutes les vivre à la fois. Un

106

écoulement le long de tes cuisses, filament trans-lucide qui a percé mon coton pour s'immiscer jusque-là, te ramène un moment à un semblant de réalité. Tu n'y comprends plus rien ; tu n'as jamais connu ça.

Puis tout repart de plus belle, une montagne russe au moment de la grande chute, quand tout le monde crie et ferme les yeux. Ce coup-ci, tu jurerais que les queues hors de proportion qui défilent, dans un constant mirage, se succèdent aussi en toi, et t'emplissent tour à tour.

— Célia ! Célia, t'es là ?

— Oui…, parviens-tu tout juste à souffler.

— Tout va bien ?

— Laisse-moi une minute, j'arrive.

Mensonge. Tu ne te sens pas prête du tout à arriver. Mais plutôt à *venir*. Ta chatte bat la cha-made, elle palpite, appelle au secours, en demande plus, bien disposée à t'offrir le premier orgasme vaginal de toute ton existence. Lors-que, au milieu de ce déluge, une ombre familière t'apparaît.

Fred ?!

Pas celui qui fait le pied de grue derrière la porte de la salle de bains, non. Celui qui pénètre cette blonde inconnue, même pas jeune, même pas belle. Celui surtout qui baise, baise et rebaise Justine, *ta* Justine, dont les spasmes se mêlent aux tiens. Ses feulements de bête fauve à tes gémissements étouffés.

Tu perds pied. Tes jambes se dérobent sous toi et, si le rebord de la baignoire ne se trouvait pas opportunément sous tes fesses, tu chuterais sur

107

le sol dur et glacé. Alors, assise là, assommée, tu plonges une main en moi, puis en toi, sans même t'en rendre compte, tous les doigts réunis, en un seul mouvement. Pas besoin d'aller et venir. Ton vagin presse ton poing assez fort pour le broyer. Pour la première fois, tu te sens vraiment pleine. Habitée par tous ces délices dont je suis le journal, brusquement ouvert, en plein milieu.

L'instant de ton plaisir balaie toutes les sensations extérieures, les clichés parasites, cette cataracte de luxure qui t'a entraînée jusque-là. Ne reste plus que toi, pantelante, ta main enfournée, transpercée de joie et de fureur. Le visage inondé de bonheur, les traits déformés par l'effroi.

Tu me détestes.

10

Dans les jours qui suivent, tu es partagée. Je te dégoûte et je te fascine, même pas de manière alternée, presque en même temps. Presque l'un à cause de l'autre. Je te dégoûte d'autant te fasciner et je te fascine de si bien te dégoûter. Ou quelque chose d'approchant.

Célia-la-trahie voudrait me voir brûler, moi et toutes ces histoires salaces que je contiens désormais. Célia-la-nouvelle, celle qui s'est laissé habiter par mes images, dans sa salle de bains, n'aspire qu'à revivre de telles sensations, et cette fois plus seulement par procuration. Avec son vrai con. Avec des frissons qui ne doivent qu'à ta nouvelle capacité de plaisir et d'émotions.

— Oui, bonjour, c'est Célia Marthon... C'était juste pour vous prévenir que je suis malade. Je ne pourrai pas venir aujourd'hui...

Tu n'as pas le courage d'aller travailler. Encore moins de tomber nez à nez avec Justine. Pas après avoir senti en toi les pulsions sauvages –

dévastatrices – de ton amie. Déjà quand vous vous tripotiez l'une l'autre, tu avais bien mesuré à quel point vous étiez dissemblables, sexuellement parlant. Le même rythme, oui, mais qui déclenchait chez ta camarade des réactions sans commune mesure. Justine était possédée par le plaisir quand toi, Célia, tu l'avais toujours subi. Justine s'emparait de sa jouissance et tu te laissais ballotter par elle, sans rien maîtriser.

Fred et toi n'avez quasiment pas échangé un mot depuis la veille au soir. Après un rapide café, silencieux et penaud – il n'a pas bien saisi tous les détails du comment, mais il a compris que tu étais désormais affranchie sur ses frasques – il s'en est allé au bureau, sans chercher à argumenter. Il sait que c'est inutile. Quand tu es en colère, il faut laisser passer l'orage, aussi long soit-il. Surtout ne rien ajouter, car chaque mot peut venir grossir le nuage, et le faire exploser sur le malheureux qui aura tenté de le dégonfler.

Et comme tu n'as rien de mieux à faire que de ressasser un passé où chaque détail suspect ouvre une nouvelle faille – tiens, cette fois-là il a dû me mentir aussi, il devait être avec elle – tu me récupères dans la poubelle de la salle de bains et m'observes sous toutes les coutures. Tu as bien du mal à croire qu'une aussi modeste pièce de lingerie puisse détenir de tels pouvoirs. D'un ongle hésitant, tu grattes la broderie de mon hippocampe, comme si cela allait en arracher les souvenirs, comme de vulgaires peaux mortes, qui tomberaient ensuite sur le sol et s'y dégraderaient, dans l'indifférence générale.

110

Hélas pour toi, non, les visions que je t'ai transmises sont persistantes. Elles s'accrochent à toi comme des sangsues sensuelles. Elles te hantent, s'immiscent dans chacune de tes pensées et, fait rare chez toi, suscitent des envies que tu ne te connaissais pas. Tu ne saurais dire où commence mon influence, et où s'arrête le désir de vengeance, dans cette farandole de désirs qui t'échappent.

Allongée sur le lit, dans les draps encore chauds de la nuit, tu commences par me frotter entre tes jambes, petite boule de coton frais qui vient grêler la peau fine de tes grandes lèvres et de tes nymphes. Ta petite chatte s'ébroue. Ma présence l'a sortie de son sommeil. Une rosée s'en écoule et vient déposer sur moi quelques gouttes sucrées. Tu es déjà mouillée ; ça non plus, ça ne te ressemble pas.

C'est alors que tu me surprends : tu me tire-bouchonnes et introduis la pointe de textile en toi, sans hésiter. Prestidigitatrice, tu me fais peu à peu disparaître dans ton sexe étroit, qui s'élargit à mesure que tu m'enfournes. Moi qui suis coutumière des vulves, voilà que pour la première fois j'en explore la face cachée, les profondeurs douces et humides. Oh, comme je comprends les hommes et leurs glands si sensibles de vouloir ne jamais quitter un tel endroit ! C'est un abîme de délicatesse, un havre de paix moite et tiède. Tes muqueuses sont si fines qu'on aimerait s'en faire des gants, un fourreau dont on ne sortirait plus. Le manque de lumière n'est pas gênant. Pas plus que les sons du dehors qui me parviennent de manière assourdie. Au contraire. Tout cela est si reposant. J'aimerais ne plus bouger, mais tu envisages la suite autrement. Tu te sers maintenant de moi comme d'une vrille, que tu tournes en toi par ce petit bout qui dépasse hors de ta chatte. De spectatrice, me voilà actrice. Je peux sentir la moindre irrégularité mais aussi chacune de tes contractions autour de moi, aussi fort que si tu m'écrasais dans ta main. Pour varier les plaisirs, tu me retires brusquement de toi, d'un geste sec, créant en toi une béance qui exige aussitôt d'être emplie. Alors tu m'y remets, accompagnée cette fois de deux doigts qui me pressent sur les zones les plus réceptives, en particulier cette pastille grumeleuse proche de l'entrée, qui frémit un peu plus fort à chaque passage.

Si tu continues comme ça, je vais te faire jouir, ma belle. Moi, ta bête culotte en coton. Simple bout de tissu agrémenté d'un hippocampe. Je vais t'extasier mieux que les quelques queues qui ont eu la chance de t'honorer. Ce qui te perturbe, c'est qu'à l'instant présent, tu n'en visualises aucune. Pas même celle de Fred.

Alors tu me défourailles pour de bon. Trempée de toi. Quitte à souffler ton orgasme fragile comme on éteint une bougie. Sans attendre l'étincelle finale. Tu as eu une autre idée. Je le devine à la manière dont tu as bondi au pied du lit. Tu m'enfiles, encore moite, puis tu passes à la hâte un pull léger et la jupe la plus courte que tu déniches dans ton placard. Tu observes un instant le résultat dans les grands miroirs de la chambre, puis tu sors, pimpante et désirable, petite fleur de printemps prête à se faire cueillir.

Car c'est bien de cela qu'il est question. Pas besoin d'explication de texte. Ce qui se prépare là, c'est plutôt une explication de sexes.

Tu t'engouffres dans un bus où déjà tu mesures l'effet de ta tenue sur les quelques hommes assis là. Ils te détaillent sans même prendre la peine de cacher leur manège. À leurs regards appuyés, à des sourires esquissés, tu comprends qu'ils apprécient. Mieux : ils extrapolent. Ils essaient d'imaginer l'usage qu'ils pourraient faire d'un tel petit lot. Tes seins menus sont nus sous la cotonnade légère dont tu t'es couverte et tes mamelons gonflent l'étoffe fine, deux pointes si saillantes qu'on pourrait presque deviner leur peau brune et grumeleuse à travers les mailles distendues.

Tu débarques du véhicule à l'orée d'un bois en bordure de ville, traversé par trois axes routiers très fréquentés. En bordure de voie, tu devines déjà quelques camionnettes qui semblent perdues dans ce no man's land. Un peu frigide, peut-être, mais pas si bête : tu sais pertinemment à quoi elles servent. Tu n'oses pas te retourner, mais tu jurerais que l'un des types du bus t'a suivie jusque-là. Tu ne presses pas le pas pour autant. Après tout, c'est pour ce genre d'aléas que tu es ici.

Un peu plus loin, tu bifurques dans un chemin forestier sur ta droite. Au loin, on devine plusieurs marcheurs solitaires, l'air absent, les mains dans les poches ; et au-delà encore, un cercle d'hommes immobiles. Tu t'approches d'eux. Sur l'instant, aucun ne note ta présence. Un coup d'œil au centre de l'attroupement t'en révèle le pourquoi : une femme devenue invisible tant ils sont nombreux à se presser autour d'elle, contre elle, en elle. C'est tout juste si tu aperçois des mèches de sa crinière rousse, et un peu de peau dénudée. L'assemblage gémit et bouge en cadence. Tour à tour, les hommes plantés dans ses orifices en extraient leur bite et l'éclaboussent de leur jet plus ou moins abondant. On se doute bien que ce n'est pas son plaisir à elle qui compte ici.

Comment as-tu pris connaissance d'un tel endroit ? Je l'ignore. Peut-être un article, un reportage à la télé, car je doute qu'une habituée fasse partie de tes fréquentations.

C'est ton tour. Un homme basané et barbu t'envisage enfin et, sans trop de rudesse, te conduit par le bras au milieu du cercle. On a évacué la précédente, la chevelure maculée de sperme, et on te fait signe de t'accroupir. Dans ton dos, deux mains anonymes cherchent à baisser ta culotte, mais tu me retiens avec fermeté, écartant à la place le rideau de mon entrejambe, dégageant ton sexe. Personne ne cherche à contester cette petite fantaisie. Après tout, ce que tu leur donnes à voir suffit à les motiver. Tu es probablement plus jeune et attirante que la plupart des femmes qui se commettent en ces lieux.

114

Le temps des présentations – façon de parler, puisque aucun mot n'a été échangé – est déjà fini. Tu sens déjà un gland énorme, gonflé à tout rompre, qui se présente à l'entrée de ta fente, et force le passage d'une seule poussée. C'est l'effet du groupe, sans doute, où chaque participant se sent tenu d'afficher une virilité sans faille. Pris individuellement, certains se montreraient plus prévenants. Mais, en la circonstance, une certaine rudesse est de rigueur. Une autre queue s'invite sans préavis dans ta bouche et tu te retrouves à pomper cette glace au goût rance sans envie, et néanmoins avec une frénésie qui t'étonne et te submerge bientôt tout entière. La verge qui te laboure brûle ton intérieur. C'est comme être prise par un charbon ardent. Chaque avancée en toi déclenche je ne sais quelle réaction chimique et calorifuge. Une sensation de combustion qui appelle certaines expériences passées de Justine, que je partage une fois de plus avec toi.

— Encule-la ! Une voix sans visage lance cet encouragement à ton pourfendeur.

Le monstre se retire et se presse aussitôt contre ta fleur étroite, juste au-dessus. Comme je suis moi-même plus large à cet endroit, je peux sentir la tension de son champignon violacé sur ton ouverture fermée à double tour. Il pousse, il cogne, il halète d'impuissance, et crache bientôt sur trois doigts épais, dont il tartine ton anus si réfractaire.

Fred a-t-il déjà sodomisé Justine ? Bien sûr, oui, il suffit de demander. Je te fournis les images, et les détails, même. Et tout le plaisir qu'elle y a pris, aussi, sous la forme d'ondes qui te traversent et irriguent bientôt chacune de tes terminaisons nerveuses, jusqu'à ton cul.

Alors, comme par miracle, tu t'ouvres toi aussi. L'invasion du membre gigantesque te tire un cri muet.

— Ouais, vas-y ! Défonce-la ! l'exhortent les spectateurs.

Pour ne pas décevoir son public, il va et vient au fond de toi avec brutalité. Tu n'imaginais même pas qu'une telle douleur pouvait être aussi plaisante. Les spasmes de la bite dans ta gorge t'annoncent une issue proche, au moins de ce côté-là. Tu hoches la tête pour dégager le membre, mais plusieurs mains se tendent vers ta tête pour la maintenir bien au fond, et s'assurer que ton visiteur obtienne ce qu'il veut : venir en toi. Là aussi, j'ai tout un tas de clichés de référence sur le sujet, que je transfuse dans ta jolie tête, révulsée par un haut-le-cœur au moment où il éjacule un flot puissant, et incroyablement abondant. Tu aimerais que les choses s'achèvent aussi à l'autre extrémité de toi, mais ton occupant se montre très endurant. Il te pilonne jusqu'à s'irriter lui-même, car tu es sans doute un peu trop étroite pour un calibre pareil. Une autre verge, presque aussi grosse qu'elle, vient occuper la place vacante du devant. Et à nouveau te voilà contrainte de sucer, encore et encore, maintenue tout ce temps dans une constante apnée.

Lorsque la bête sodomite est prête à jouir, son maître t'agrippe les hanches et, avec la force d'un

116

étau, plaque son bas-ventre contre tes si jolies petites fesses. À l'instar de son camarade, il veut s'essorer bien au chaud, profiter de tes entrailles jusqu'à l'ultime seconde. Sa production est plus limitée, mais elle dégage pourtant un courant chaud, épais, qui progresse en toi comme une lave en fusion. Avant même son retrait, un peu de ce jus coloré reflue jusqu'à moi, et me décore de plusieurs zébrures.

— Y a encore sa chatte à fourrer, les gars, constate l'un des inconnus, pragmatique.

Tu dois figurer parmi les bonnes performeuses, car le groupe a grossi autour de nous. Il y a maintenant deux ou trois rangées derrière le premier rideau de mateurs. Certains ont sorti leur engin et se l'astiquent, presque à ton contact. Tu n'es plus en état de le remarquer, mais, de temps à autre, une giclée blanche atteint ton corsage, ta jupe, ou même ton visage. Nouvelles médailles pour célébrer des performances dont tu te sentais incapable il y a peu.

Le manège dure encore vingt bonnes minutes. Tu as compris qu'il n'arrêtera de tourner, et toi entre leurs mains, que lorsque ces messieurs auront décrété qu'ils t'ont assez souillée, et qu'il leur faut un nouveau modèle, plus réactif, et plus propre, quand bien même il serait moins séduisant.

Tu repars seule, sonnée, les jambes flageolantes, badigeonnée de sperme. Tu es au bord des larmes, mais rien ne vient. Tu as joui plusieurs fois, je peux le dire – j'étais là, si bien placée – et pourtant tu ne ressens pas cette plénitude, ce grand voile doux et rassurant qui te couvre d'ordinaire en pareilles circonstances. Tu n'as pas vraiment honte, tu te trouves juste épuisée, comme on parle d'un réservoir vide, d'une jauge à zéro. La seule chose qui reste, durablement, c'est ce sentiment troublant d'avoir fait l'amour non pas avec tous ces hommes, mais avec Justine, constamment là, présente, au creux de toi. On est bien loin des papouillages d'étudiantes, du bout des doigts, sous la couette. Cette fois, vous n'avez fait plus qu'une. Grâce à moi, votre petit trait d'union de quelques grammes.

Après t'être rafraîchie rapidement dans les W-C d'un café, tu reprends le bus. Direction le labo. Tes collègues qui te pensaient souffrante sont effarés. Ils n'osent pas t'interroger sur le motif de ce brusque changement d'état. Car, à leurs yeux, ils ne t'ont jamais vue aussi épanouie, sexy, conquérante. Tu entres dans le bâtiment sans saluer personne et tu fonces jusqu'à la salle qui t'est réservée. Tu veilles juste à ce que Justine ne se trouve pas sur ton chemin.

Parvenue à destination, tu boucles ta porte et tu me retires enfin, encore humide, constellée de taches, dégoûtante. Mais ce n'est pas la nature de ces auréoles que tu veux analyser. C'est moi ! Après tout, tu n'es pas chercheuse par hasard. Il faut bien que cela te serve à quelque chose.

Tu me poses sur la paillasse et, durant tout l'après-midi, tu me passes au crible de tes instruments. Échographe, spectrographe, et tout un tas d'autres outils en -graphe, en -gramme et en

-er, qui ne révèlent aucune particularité, ni aucune anomalie. Je ne suis que moi, cette petite culotte de coton indien, cousue au Bangladesh, brodée d'un hippocampe bleu marine sur le devant. Rien que ça.

À deux ou trois reprises on frappe à ton carreau cathédrale, visages déformés par le vitrage kaléidoscopique, mais tu ne réponds pas. Tout entière à ton ouvrage. L'après-midi s'évapore, plus cauchemar que charme. Car tu ne perces pas mon mystère, pas plus que je ne me l'explique moi-même. Et pour la seconde fois de la journée, de rage, la bouche, le sexe et l'anus cuisant de fièvre, les yeux inondés, tu me jettes à la corbeille.

Bien décidée à ne plus jamais me porter. Ni me revoir.

11

La chambre bleue. Fred et Justine s'y sont retrouvés comme à leur habitude. Mais cette fois sans envie de gaudriole. La situation est critique. Tant qu'ils baisaient à longueur de pause déjeuner, leur relation était simple, fluide, sans accrocs. Aussi suave que la mayonnaise des sandwichs qu'ils avalaient à la va-vite. Mais la situation présente leur confirme ce qu'ils savaient déjà : ces deux-là ne sont pas faits pour autre chose que les galipettes ; tout au moins, ensemble.

— Qu'est-ce qu'elle sait, exactement ?

Justine torture ses ongles.

— C'est pas clair... Mais il semblerait que la vieille folle qui m'a acheté la culotte sur le Net ait dit vrai : celle qui l'enfile ressent les émois sexuels des femmes qui l'ont portée avant elle. Alors je ne sais pas ce que Célia a vu... Mais apparemment ça lui a mis la puce à l'oreille. Elle me fait la gueule depuis deux jours.

— Hum…, son regard gêné se perd dans les cintres.

— T'as pas l'air d'y croire…

— C'est pas ça.

— Quoi, alors ?

— Écoute… Cette culotte…

— Eh bien ?

— Je l'ai portée, moi aussi.

Fred en demeure sans voix. Il considère sa maîtresse, incrédule.

— Tu déconnes, là ?

— Non, je suis très sérieuse. Le matin de mon entretien au labo, je suis partie sans rien sur les fesses. Et Célia m'a dépannée. Elle n'avait plus rien de propre et elle venait de l'acheter, au bazar près de chez vous.

— Merde… !

Il laisse passer un instant de stupeur, puis s'exclame :

— Mais alors, si tu l'as mise… toi aussi tu as perçu ses sensations ? !

— Eh bien, pas grand-chose justement. C'était tellement faible, que j'ai cru que je délirais.

— Visiblement, hoche-t-il la tête, d'un air désolé, ça fonctionne beaucoup mieux dans le sens inverse.

Il s'écroule sur le lit, à ses côtés, effondré par la nouvelle.

— Quelle idée aussi de revendre *ma* culotte sur Internet ! le tance Justine, le sourcil ombrageux.

— Je te rappelle que ce n'était pas censé être la tienne, mais celle d'une de tes copines.

— Et c'est ça qui t'a excité ?

122

— Un peu, oui, admet-il, les yeux bas. Attends, Ju, c'est pas comme si on était des puceaux ! Ça nous a toujours plu, ce genre de petits jeux. Toi la première !

Comme cette fois où ils s'étaient accouplés dans un photomaton, et avaient laissé les photos produites dans le réceptacle, à l'intention d'un voyeur involontaire et anonyme. Ou cette autre, à l'initiative de la brunette, où ils l'avaient fait dans la cabine spectateur d'un peep-show, s'interrogeant à chaque instant sur ce que la danseuse dénudée pouvait percevoir ou non de leurs ébats ?

Elle ne pouvait pas nier. Et c'est bien ça qui avait tant séduit Fred en elle. Ce côté coquin, déluré, inventif. Cette idée que le sexe n'était pas un acte physique, mais une histoire qu'on se raconte et dont on devient soi-même l'acteur, pour peu qu'on se laisse emporter. Justine lui était tout de suite apparue comme cette joueuse que Célia n'était pas, et ne serait probablement jamais.

— Bon, qu'est-ce qu'on fait ? J'imagine que c'est trop tard pour essayer de récupérer cette fichue culotte...

— Oui, le mal est fait. On peut toujours essayer de faire passer ça pour un mirage, une sorte de rêve éveillé...

— Y a pas plus cartésien que Célia. T'es bien placé pour le savoir.

— Ben justement... Avec un peu de chance, elle n'a pas cru dans les images que le slip lui a transmises.

— Ta copine du Web, qu'est-ce qu'elle en dit ? Elle a vécu ça comment, elle ?

— Que c'est plus réaliste qu'un film en 3D. Les sensations en plus.

— Pfff…, soupire-t-elle. Si c'est le cas, on n'est pas dans la mouise…

Pour se réconforter, ils se prennent dans les bras. Fred tente un baiser, que Justine esquive. Elle n'a ni le cœur ni le cul à ça. Pourtant, au troisième assaut de son amant, elle lui prête ses lèvres quelques instants, puis un sein qu'il pétrit avec une ardeur croissante, puis sa chatte qu'il explore d'un index curieux. Sans difficulté, puisqu'une fois encore elle ne porte rien sous sa jupe.

— T'es vraiment incorrigible, hein ! susurre-t-il à son oreille.

— C'est bien pour ça que t'es là, non ? sourit-elle en retour.

Et, malgré les événements peu propices, les voilà qui s'emmêlent comme ils savent le faire. Avec peut-être juste un peu plus de fébrilité qu'à l'accoutumée. Les bouches trouvent les sexes avec facilité, quand ils se piquent de les butiner tête-bêche. Les lèvres rosées de Justine hésitent à gober son gland déjà gonflé d'impatience. Elle ne peut pas s'empêcher d'y penser : et si Célia la voyait ? J'ai beau ne pas être là avec eux, moi la vilaine culotte rapporteuse, elle a désormais cette crainte chevillée au ventre, et au con.

Fred, lui, plonge son nez dans la fente humide. Il a toujours aimé ça, user de son appendice comme d'un petit pénis de substitution. Agacer

124

la vulve affamée de cette pénétration légère, peu profonde, la pointe de son blaze juste assez large pour écarter les nymphes et permettre au reste de l'intrus de frayer son chemin en elle.

Elle aussi apprécie cette manœuvre, qui figure depuis longtemps parmi leurs classiques. Comme tous les amants, ils ont établi malgré eux un petit panthéon privé des caresses qui font mouche. Y trônent à ses côtés la feuille de rose pour madame, la pression du gland et le léchage de frein pour monsieur. C'est d'ailleurs ce à quoi s'emploie maintenant Justine, lichant la membrane tendue à tout rompre d'un bout de langue mutin. Elle en joue comme des cordes d'un instrument. Si elle la prend de biais, et la fait claquer légèrement, alors il pousse un gémissement, à chaque fois d'une tonalité différente. Il est une harpe à une seule corde. Elle tire de lui des mélodies secrètes, qu'eux seuls entendent.

Mais le fantôme de Célia ne s'en va pas si facilement. Il se balade en elle comme dans une maison à hanter. Il passe par toutes les pièces, ou plutôt tous les organes qu'il peut faire vibrer. Justine en est la première surprise. Quand son bouton dressé est croqué par les dents blanches de Fred, elle perçoit ce que son amie aurait senti en pareille position. Célia n'est pas juste à côté d'elle, voisine de branlette allongée contre son flanc, comme elle se présentait autrefois. Elle a pris possession de chacune de ses zones sensibles. Elle y campe, bien décidée à partager chacun de ses plaisirs.

À l'instant crucial, Justine se surprend même à pousser ce petit miaulement qui n'appartient qu'à sa camarade, cri de minou éperdu. Sans doute parce qu'elles font désormais chatte commune.

Là où je suis, dans cette poubelle qui attend que l'homme de ménage du soir vienne la vider, je profite moins. Depuis que tu m'y as jetée, tu n'as plus bougé. Le front posé sur la surface carrelée et froide de la paillasse, tu ne sais plus quoi faire, ni penser. Quand la silhouette reconnaissable d'un grand noir frappe au carreau, poussant un chariot chargé de seaux et de balais, tu sursautes et lui ouvres.

— Bonsoir.
— Bonsoir madame Célia.

Il attrape la corbeille et en vide le contenu dans le gros sac transparent, où les reliefs de déjeuner et les papiers froissés s'amoncellent déjà en nombre. Tu ne me vois même pas disparaître et me fondre dans cet amas blanc, coloré par endroits. Tu ébauches un geste en ma direction, puis le retiens.

— Vous voulez récupérer quelque chose ?
— Non…, hésites-tu. Non, ça ira. Merci, Moussa.
— À vot' service, madame Célia.

Les regrets affleurent et pourtant un dernier scrupule te retient. Après tout, que t'ai-je apporté de bon ? La révélation de leur infidélité ? Ta débauche avec ces hommes abjects ? Un bonheur

126

(entre tes jambes) auquel tu n'aspirais même pas ? C'est ça ma magie ?

De toute façon, c'est trop tard. L'homme de ménage repart déjà, poussant son caddy avec une élégante nonchalance, évanoui dans les confins mal éclairés des couloirs que les laborantins désertent. C'est la fin de la journée de travail.

Tout s'enchaîne alors très vite. Tout s'affole. J'ai beau être au centre du vaudeville qui suit, j'ai du mal à comprendre ce qui m'arrive. Justine, qui s'est exceptionnellement absentée en plein après-midi, revient de son cinq à sept bleuté. Dans le hall, elle croise Moussa et ses sacs de détritus, tous bourrés à craquer. Elle devrait passer sans même les regarder, mais, allez savoir pourquoi, son regard tombe sur celui où je gis. Par chance, les couches supérieures m'ont repoussée vers l'extérieur du contenant. Par chance, mon hippocampe est orienté vers le dehors. Par chance, enfin, toujours, Justine m'aperçoit.

— Moussa !

— Oui, madame ?

— C'est vous qui venez de vider ces poubelles ? Elle me désigne.

— Oui. Il ne fallait pas ?

— Si, si, bien sûr... Mais je crois que j'ai jeté quelque chose par erreur. Ça vous embêterait de m'ouvrir ce sac-là ?

127

— Pas de problème, madame. Qu'est-ce que vous voulez récupérer dedans ?

Il s'exécute et dénoue le dessus de l'énorme poche de plastique translucide.

— Euh…, elle rosit. Un truc… Je peux fouiller ?

— Allez-y ! (L'homme sourit de toutes ses dents.) Si ça vous tente…

L'air de rien, la petite brune m'extirpe d'un mouvement leste, prenant bien soin de m'envelopper de papier pour me dissimuler. Je crois que le technicien de surface n'est pas dupe. Il referme le sac avec un petit sourire entendu. Il avait dû me repérer. Bien gentil, mais pas bête pour autant.

— Merci, Moussa.

— De rien, madame Justine.

Une poignée de minutes plus tard, tu déboules à ton tour, effarée. Au grand noir si serviable, tu réclames le sac-poubelle ayant reçu le contenu de ta corbeille.

— Ah ben, vous aussi ?

— Je comprends pas… Comment ça, *moi aussi* ?

— Y a madame Justine qui a déjà farfouillé dedans, y a pas dix minutes.

À ton tour, tu jettes un œil rapide, mais tu ne nourris pas de doute quant à l'issue de ta recherche. Elle est nécessairement repartie avec moi. Ta culotte, fétiche, maudite, espérée ou désespérante. Tu ne sais plus lequel de ces qualificatifs est le bon, peut-être un peu de chacun. De fait, je ne suis plus là.

Alors, plutôt que de regagner ton bureau, tu sors. Tu ne rentres pas pour autant à la maison. Tu n'as le goût de rien ou presque. Pas plus des hommes du bois que de ton homme en bois, comme on parle des chèques. Un homme sans provision suffisante sur le compte de son amour. Un homme volage, ton Fred. Qui n'a pas tenu ses promesses d'éternelle fidélité. Qui n'a rien trouvé de mieux, pour satisfaire ces besoins, que de te ravir Justine. *Ta* Justine. Mais tu ne sais pas si c'est ça qui te désole, ou cette entêtante présence en toi de ton amie la traître.

Près de chez toi, tu remarques que le bazar où tu m'as achetée est encore ouvert. Tu rentres en soufflant un bonjour au Pakistanais assoupi sur son tabouret. Au rayon sous-vêtements, dans le bac des culottes, tu passes les troupes en revue. Des fleurs, des poussins, des chatons et des poneys. Mais pas un seul hippocampe.

— Excusez-moi... Vous n'avez plus les culottes avec un hippocampe sur le devant ?

— Hippokomp ?

Tu prends une posture chevaline, te cabres comme le petit animal de mer.

— Vous voyez ? Un hippocampe... J'en ai acheté une comme ça ici, il y a quelques jours. En coton blanc.

— Aaaaah, hippokomp, oui, je vois, il acquiesce avec un rictus en guise de sourire.

Ton œil brille d'un nouvel espoir.

— Vous en avez en réserve ?

— Désolé... J'ai plus hippokomp. Fini.

— Vous allez en recevoir ?

— Non, je crois pas.

En passant devant ton immeuble, tu remarques la lumière dans le salon. Fred est rentré. Il doit t'attendre. Espérer cette explication que vous n'avez pas eue la veille, ni ce matin. Ni jamais, quand tu y réfléchis bien. Comme tu n'as pas pris ton portable de la journée – tu es partie si précipitamment pour ton équipée sylvestre – il n'a désormais aucun moyen de te joindre. Le soir est tombé, et tu as un peu froid dans ton pull en maille et ta jupe légère. Depuis que tu m'as balancée, tu ne portes même plus de culotte. Mais tu ne peux pas te résoudre à acheter une fleur, un poussin, un chaton ou un poney. Dieu sait quels effets ceux-ci auraient sur ton sexe…

Tu te consoles en songeant qu'un hippocampe neuf aurait eu une mémoire vierge. Il aurait fallu que d'autres femmes, d'autres Justine, la portent et la souillent encore pour te nourrir d'un nouveau nectar.

Tu erres longtemps, un peu au hasard. Une fois, tu t'arrêtes dans un café, dans une rue que tu n'avais jamais empruntée auparavant. Il te reste sur toi juste de quoi prendre un express, chaud et serré. Si tu ne te résous pas à regagner le nid, il ne te restera plus que la rue où dormir cette nuit. Dans le bar, tu remarques à peine les regards des hommes sur toi, pourtant plus lourds et poisseux que d'habitude. Est-ce ta petite séance de l'après-midi qu'ils flairent sur toi ? Ou les traces que j'ai déposées çà et là ? Il est possible aussi qu'ils aient entrevu ta vulve, mise à nu au détour de la porte battante ou de la bouche de métro placée devant l'entrée. Marilyn des bites en souffrance. Petite chatte du soir. Espoir ?

Boulevard Voltaire. On est loin de ton quartier. Tu ne sais pas bien comment tu es arrivée là. Et te voilà néanmoins en bas de chez Justine. Ton con cogne entre tes jambes. Il se gonfle comme la poire en caoutchouc d'un tensiomètre et se vide lentement, par paliers. Il est ému comme une jouvencelle. Mieux que toi, il sent que tout peut basculer dans cet immeuble haussmannien, troisième étage gauche, dans le petit deux pièces coloré. Ton sexe inspire un grand coup, et tu composes le code.

Ne mens pas, tu as pensé « le gode ».

12

L'escalier est plongé dans le noir et, mue par
une intuition que tu ne t'expliques pas, tu
n'actionnes pas la minuterie qui pourrait le dissiper, d'une simple pression du doigt sur l'inter-
rupteur. Tu es venue de nombreuses fois chez
Justine, mais cette obscurité inédite est pour toi
l'occasion d'une découverte : par les ouvertures
pratiquées sur le flanc de l'escalier, entre chaque palier, il est possible, en se penchant un peu,
d'apercevoir les fenêtres de la façade donnant
sur cour. Un détail qui te saute pour la première
fois aux yeux, car en ce vendredi soir toutes sont
éclairées. Selon les appartements, la vue donne
sur une chambre, une cuisine ou le salon. En
tendant un peu l'oreille, on peut même deviner
ce qui s'y passe, et faire coïncider ces images et
les bruits qui s'échappent par les portes palières,
jusqu'en bas de la cage d'escalier. Ces vieux
immeubles sont si mal insonorisés.

Entre le rez-de-chaussée et le premier...

Ton regard glisse sur le dîner d'une mamie qui vit et mange seule, selon toute vraisemblance. Si tu étais dans un autre état d'esprit, ce spectacle étreindrait sans doute ce qu'il reste en toi de compassion. Mais tu n'es pas dans ce *mood*-là, définitivement pas. Pas ce soir.

Entre le premier et le deuxième...

La vue plongeante sur l'appartement du premier est parfaite. Tu y découvres un couple d'Asiatiques, assez jeunes, semble-t-il sans enfant. À voir la fille, liane fine et menue, s'agiter en slip et soutien-gorge, changer de tenue, et s'admirer de longues minutes dans le miroir, tu peux prédire qu'ils ne vont pas tarder à sortir. Peut-être passer la nuit dehors. Le garçon, aussi sec qu'un acteur dans un film de kung-fu, ne reste pas insensible à son ballet. Il finit par la rejoindre devant la psyché, et se colle à son dos, le nez plongé dans les senteurs de sa nuque que tu imagines jasminées. Ses mains se glissent sur le ventre parfaitement plat, le caressent avec lenteur puis, avec la même précision dans le geste, l'une d'elles s'immisce dans la culotte nacrée. D'où tu es, on jurerait qu'il ne bouge pas. Mais à la manière dont elle renverse bientôt sa tête en arrière, cette bouche entrouverte, ces yeux fermés, tu comprends que les doigts de son amant, à l'abri dans leur écrin satiné, ont commencé leur œuvre.

Les reins de la fille se creusent. Elle pousse vers lui un postérieur aussi étroit et ferme que celui de son partenaire. Il n'est pas bien difficile de deviner la suite. D'ailleurs, pour mieux lui offrir son cul, elle prend appui sur le montant du miroir qui menace un instant de basculer. Ils sont beaux. Ils sont excitants. Et pourtant tu n'as pas le cœur à les regarder batifoler, à te repaître de leur grâce par trop écrite, de leur accord aussi parfait que leurs proportions. Tu grimpes d'un étage.

Entre le deuxième et le troisième...

De là, tu ne distingues que le plafond du séjour de Justine. La lumière est tamisée, mais néanmoins bien présente. Comme tu ne sais pas encore ce que tu vas bien pouvoir lui dire, et moins encore faire, tu t'accordes une nouvelle halte, et profites du panorama qui t'est offert sur la salle de bains de ses voisins du dessous. Tout du moins, sa voisine. En voilà une qui doit ignorer la particularité de cet escalier, ou peut-être a-t-elle décidé de s'en foutre. Peut-être même est-elle stimulée par les regards qui plongent en droite ligne sur sa baignoire. Elle est là, perdue dans un océan de mousse, nue, les yeux clos, une bougie se consumant sur le rebord, bien décidée à prolonger cette grande tranche de plénitude pour inaugurer son week-end. À cette distance, tous les détails ne sont pas visibles, mais tu discernes quand même quelques îles qui affleurent à la surface, au milieu de cette brume blanche et cotonneuse : l'archipel des tétons, amollis et élargis par la chaleur de l'eau ; les pics des orteils, à l'autre extrémité du bain ; et, entre les deux, l'îlot vierge de la toison sauvage, brune, sombre et impénétrable.

Deux doigts s'y aventurent malgré tout, et plongent à l'intérieur de la crique fendue qui s'ouvre là. Elle y va à son rythme. Sans précipitation excessive ni sursaut. C'est plus une houle qui la ballotte qu'une tempête annoncée. Tu t'attends à une lente dérive vers son plaisir, quand soudain sa main gauche attrape un objet que tu n'avais pas remarqué jusque-là. Oblong, aussi rose qu'on peut l'être, il vient prendre la place occupée il y a une seconde encore par son majeur. Aux légers remous que son incursion dans l'eau savonneuse provoque, tu décodes sa nature, et mieux encore sa fonction. Tu supposes qu'elle va se contenter de le promener à l'extérieur, comme on se flatte l'entrejambe au gant de toilette. Mais tu supposes mal. D'un mouvement ferme, presque sec, elle l'enfourne en elle jusqu'à la garde, jusqu'à la molette noire – sans doute le variateur d'intensité – qui dépasse à cette extrémité. Aussitôt fait, elle te paraît habitée par une nouvelle force. Quelque chose qui la secoue de l'intérieur. Les coudes calés sur chaque bord, elle décolle ses fesses du fond, et propulse sa motte transpercée de latex rose vers le plafond, aidée en partie dans son effort par Archimède.

136

Électrocuté de plaisir, tout son corps se tend sur la couverture de mousse. Un râle long, grave, semblable à la plainte d'une pleureuse, se fait entendre, et déverse ses volutes jusqu'à toi. Tu te dis que si elle pratique ce genre de récréations souvent, elle doit vraiment régaler le voisinage. Est-ce elle, et sa libido qui déborde, qui donne des idées aux autres locataires ? Où est-ce l'inverse, éponge de ces ondes sensuelles qui circulent librement à travers les différents niveaux ?

Quand elle retombe lourdement, les genoux encore tremblants d'extase, ses deux mains plaquées sur sa chatte, tu décides qu'il est temps, cette fois.

Quelques marches au-dessus du troisième étage...

T'y voilà enfin. Face à la fenêtre de Justine. Face à sa chambre. Ses rideaux sont écartés, si bien que rien ou presque de la pièce ne t'échappe. Elle est là, allongée sur son lit, éclairée seulement par une lampe de chevet. Encore vêtue de ses habits du jour. Immobile. Elle ne dort pas, non. Elle paraît plutôt se laisser porter par Dieu sait quel songe. Tu réalises que c'est la première fois que tu l'observes ainsi, à son insu. Même quand elle logeait chez toi, il y a si longtemps, jamais cela n'est arrivé.

Tu ne ressens ni gêne, ni culpabilité. Juste l'envie de profiter de l'instant. Elle est jolie dans cette ambiance qui tire vers la nuit, *ta* petite pomme brune. Tu ne crois pas le lui avoir jamais dit – tu n'es pas championne en compliments – mais elle a un profil très gracieux. C'est très rare, les profils harmonieux, où ni le front, ni le nez ou encore le menton ne viennent briser l'instable équilibre de l'ensemble.

Tu t'assieds sur l'une des marches vermoulues. Plus bas, le couple asiatique a fini de regonfler ses batteries et dévale l'escalier en gloussant, petite rigole de sexe et de joie qui va s'évaporer dans la nuit.

Lorsque tes yeux se posent à nouveau sur ton amie, elle tient un linge blanc entre les mains. De petite taille. Tu mets quelques secondes à me reconnaître. Moi. Ta culotte. Justine fourre son nez sur mon entrejambe. Elle profite. C'est donc bien elle qui m'a subtilisée dans les poubelles du labo. La voleuse d'homme. La voleuse de lingerie. La voleuse de vie…

Tu réprimes l'accès de colère que cette vision te procure sur l'instant. Car Justine ne se contente pas des odeurs que tu as laissées sur moi. À mon contact, aussi léger soit-il, elle *te* sent enfin. Elle perçoit les derniers développements de ta libido. Elle te voit parmi les hommes du bois, livrée à eux, et aspire à son tour à leur être livrée, sans retenue. Comme elle est seule, et qu'il est tard déjà, elle se contente de baisser le petit string de dentelle qu'elle portait sous sa jupe, et de m'enfiler à sa place. C'est sans doute la première fois que cette coquette préfère un vulgaire dessous de coton à un modèle si raffiné.

138

Dès que j'effleure son minou, moite de curiosité, elle est parcourue par des vagues de frissons successives, de plus en plus puissantes. Sa peau se grêle, et pourtant il lui semble qu'elle brûle. Son con est un fondant dont le cœur chaud ne demande qu'à couler, avant d'être mangé goulûment. Comme elle n'a que ses doigts en guise de substituts, elle introduit index et majeur et se met à tourner doucement, en insistant sur la face antérieure, là où chaque passage provoque une nouvelle contraction.

Depuis ta marche, il te semble qu'elle mime les scènes que tu as toi-même jouées, ces derniers jours. Célia se branle dans la salle de bains. Célia se donne aux inconnus. Célia jouit comme elle n'a jamais joui. Et maintenant, Justine avec elle – avec toi – à l'unisson.

La minuterie s'est éteinte, ainsi que les bruits de cavalcade. Tu es seule dans la pénombre de la partie commune et l'œil rivé à cette autre toi-même, tu glisses à ton tour une main fine entre tes jambes. Tu ne t'y attendais pas, mais tu es trempée. Tu retires deux doigts poisseux et tu les lèches comme un gamin se délecte d'un peu de confiture volée dans le pot. C'est âcre et sucré à la fois. Si bon que tu te sers une deuxième fois de ton jus. Et encore, jusqu'à avoir la bouche pâteuse.

Sur son lit, Justine varie plaisirs et positions. Elle a posé cette fois sa main sur moi, et enfonce ma bande centrale en elle, comme pour mieux m'imprégner de ses fluides. En elle, défilent les images que je lui délivre malgré moi, celles où tu m'engouffres tout entière dans ta chatte ballonnée de coton. Elle me presse et me presse encore, jusqu'à provoquer les premiers spasmes, et tirer d'elle les tout premiers gémissements. Comme ceux de sa voisine, un étage en dessous, ils filent sous la porte et crépitent dans l'escalier, où chacun peut les apprécier. Le locataire du dessus, par exemple…

Il a refermé sa porte avec tant de discrétion que, toute à ton affaire, tu ne l'as pas entendu venir à toi. Le voilà planté devant toi, en surplomb. Interdit. De ton côté, c'est trop tard. Tu ne peux plus t'arrêter. Tes phalanges vont et viennent en toi avec force. Un autre que lui aurait peut-être tourné les talons. Ou passer son chemin. Pas lui. Il descend les deux marches qui vous séparent, et d'un geste preste, déballe une queue énorme, qui tressaille sous ton nez comme un oiseau blessé.

Ta bouche s'ouvre sans que tu y réfléchisses. Son gland tuméfié de faim s'y engouffre aussitôt. Le frein, tendu et large, couvre presque toute la face avant de sa bite. Un détail qui, en d'autres temps, aurait suscité ta répugnance et qui, aujourd'hui, te donne envie de le gober sans réserve. Les cris de Justine sonnent à vos oreilles comme autant d'encouragements. Comme il sent l'imminence d'un orgasme derrière la porte, il accélère la cadence, et s'enfonce le plus loin qu'il peut dans ta gorge. Tu étouffes. Des toussotements irrépressibles expectorent un dégoût dont ta propre jouissance à venir se délecte, tel un bonbon pétillant qui pique le palais. Pénible

140

et doux à la fois. Une sensation vite lavée à grands jets, gluants et tièdes, quand il gicle tout au fond de ta langue.

À peine venu, il s'échappe déjà en contrebas, rafistolant sa tenue d'une main. Tu n'as même pas vu son visage. Derrière sa fenêtre, Justine ne bouge plus. Elle s'est vidée, elle aussi. Un torrent clair et salé s'est purgé sur moi. Un passage en machine ne m'aurait pas plus mouillée. Ta chère J. savait-elle qu'elle pouvait être cette fontaine où les amants aiment tant s'abreuver ?

Elle en reste effarée. Incapable du moindre mouvement. Revenue à un état liquide, sexuellement primitif.

Mais le plus surprenant, c'est que ton plaisir a été si synchrone avec le sien, que tu t'es laissé engloutir par ce commun cataclysme sans même t'en rendre compte. Il n'y a que cette petite flaque sur la marche, dont la surface luit dans le noir, pour en témoigner. C'est bien mieux qu'à l'époque de vos jeux empruntés. Sans comparaison avec la retenue d'alors. Désormais, vos sexes ne font qu'un. Vos chattes sont les deux faces d'un orgasme, Janus jouisseur, tiraillé par ses différences, unifié par son évidence.

Tu sais ce qu'il te reste à faire. Si tu frappes à cette porte, ce ne sera pas pour te venger. Si tu entres dans cet appartement, ce ne sera plus par amertume. Si tu embrasses et touches Justine, comme tu brûles de le faire maintenant, ce ne sera pas pour renouer avec un quelconque passé, ou pour briser leur avenir d'infidèles. Ce ne sera que pour du présent. Sa présence. À elle. Chancelante, tu te relèves et te hisses jusqu'à son palier.

Toc, toc, toc. Les fées sont jetées (l'une contre l'autre).

13

Fred est arrivé le premier dans la chambre d'hôtel. Grise, ce coup-ci. Il la fréquente pour la première fois. C'est Justine qui l'a choisie. Elle a parlé d'un petit hôtel « charmant ». Assis sur le lit mou et trop étroit pour les déchaînements amoureux, tendu d'un couvre-lit miteux, il s'étonne de la couleur triste et uniforme. Ça ne ressemble pas aux goûts de sa maîtresse. Il lutte pour ne pas y déceler on ne sait quel présage. La veille au soir, comme il ne te voyait pas rentrer, il a cherché à la joindre à de très nombreuses reprises. Toujours en vain. Il a bien failli passer chez elle, boulevard Voltaire, mais il sait qu'elle déteste cela. Il s'est abstenu, et a rongé son angoisse jusqu'au petit matin. Poopey, fidèle à son poste virtuel, lui a soutenu le moral une bonne partie de la nuit. Elle s'est même masturbée devant sa webcam, histoire de le distraire. Bonne pomme (flétrie), toujours prête à se faire croquer.

Il s'est retenu d'appeler les flics, aussi. Car il devine bien que ta fugue n'en est pas vraiment une. Tout juste un mouvement de colère. Une réaction à chaud, et dont les effets épidermiques s'évaporeront bientôt. Cette maudite culotte (que je suis) a fini par délivrer son message, c'est désormais chose certaine. Il faut composer avec. Tu t'en remettras. Ils s'en remettront tous, il en est sûr.

En attendant, voilà une bonne demi-heure qu'il tourne en rond dans la chambre à peine plus grande qu'un placard. Tout juste la place de faire les cent pas autour du lit, non sans se cogner au passage à la commode en bois plaqué, assez branlante, qui occupe le pan de mur opposé. Il a bien songé allumer la télévision pour s'occuper. Mais le poste, aussi antique que le reste, ne capte que trois chaînes, et pas les plus passionnantes. Décidément, Fred s'étonne du choix de Justine.

— Monsieur ?

On a toqué deux fois à la porte. Une voix féminine, qui n'est pas celle de son amante.

— Oui, c'est quoi ?

— Service d'étage.

Un bien grand mot, pour un si petit établissement.

— Qu'est-ce que vous voulez ?

— J'ai un paquet pour vous.

— Un paquet ?

— Si vous voulez bien ouvrir…

Il s'exécute et tombe nez à nez avec une femme qui doit faire la moitié de sa taille, aussi large

144

que haute, et dégarnie sur le sommet du crâne. Elle lui tend une grosse enveloppe molletonnée, sur laquelle il reconnaît l'écriture de Justine. Elle s'est contentée d'y poser son prénom : « Fred ».

Il accepte le pli et la gratifie d'un sourire inquiet en guise de pourboire. La porte refermée, il décachette le pli, gonflé et lourd. Il en extrait un rectangle noir et laqué. Un appareil électronique.

— Un lecteur de DVD..., constate-t-il pour lui-même, plutôt surpris.

Le genre de mise en scène pimentée qu'il affectionnerait en temps normal, n'était le contexte délétère dans lequel ils se trouvent l'un et l'autre. Aucune note n'accompagne l'engin, aucune instruction.

Faute de quoi, on attend de lui qu'il lance le disque qu'il aperçoit à l'intérieur, suppose-t-il, envahi peu à peu par le poison de l'angoisse, qui ralentit ses gestes et étreint ses viscères. D'un doigt fébrile, il presse la touche marquée d'un triangle basculé vers la droite. Le rayon laser recherche la première piste, crachote quelques instants, avant de projeter enfin les premières images sur l'écran de taille réduite.

Il reconnaît aussitôt la chambre de Justine, illuminée comme elle ne l'est jamais. Apparemment, elle a pris soin d'éclairer le lieu pour que tout ce qui va lui être montré soit bien visible. Une première silhouette apparaît sur le lit, se jetant sur les draps comme une enfant excitée à l'idée de jouer sur la couche de ses parents. Impatiente. Tout sourire, le regard tendu vers un

145

hors-champ insupportable de suspense. Quand enfin le second protagoniste la rejoint sur la couette.

— Putain… non !

Toi. Célia. Torse nu. Tes seins menus aussi hauts et pleins que deux pommes encore vertes. Tu portes cette jupe courte que tu avais sur toi en partant la veille au matin. Tu parais aussi rayonnante et heureuse d'être là que ton amie. Toi la timorée, toi à qui il doit arracher le moindre baiser, il te découvre des gestes assurés, tendres, visiblement pleins d'un désir inédit. Tu tends une main vers le visage de Justine et la poses finalement sur la poitrine plus généreuse de la brunette, qui a soulevé son pull pour la présenter à l'œil impassible de la caméra. L'angle lui laisse deviner que celle-ci a été posée sur le buffet proche de l'entrée, de biais par rapport au lit, et de telle sorte que, quelles que soient leurs évolutions, rien ou presque ne pourra lui échapper.

Car la suite est assez prévisible, maintenant, alors que tu t'es couchée sur ton hôte, et l'embrasses d'une bouche gloutonne. Lui as-tu jamais mangé les lèvres avec autant d'appétit ? Il en doute. Il doute de tout, à les voir s'emmêler ainsi, captivé une seconde, éperdu la suivante, et ainsi de suite, tout au long de ce film érotique qu'il n'imaginait pas possible, il y a encore une minute. Pourtant, ce qu'il aperçoit là ne ressemble pas à une scène qu'on lui jouerait. À une comédie qui lui serait destinée. Leur souffle court, leurs joues qui rosissent, leurs bouches qui se cherchent, leurs mains qui frôlent un téton ou un entrejambe qui s'ouvre, rien de tout cela n'est simulacre. Tout est vrai. Tout est envie. Il le comprend bien, aussi douloureux cela soit-il, au milieu de sa pulsion de voyeur.

Leurs vêtements volent alentour. Elles sont complètement nues, enfin. Lui qui connaît chacun de ces deux corps est saisi par leur dissemblance, et néanmoins fasciné par leur complémentarité. Les creux de l'une sont comblés par les rondeurs de l'autre. Si bien qu'elles se trouvent sans heurts, ni aucune hésitation. Chaque geste glisse dans la perfection de l'instant, et là où il peut procurer le plus de plaisir. Elles plongent l'une et l'autre une main sur la chatte qui s'offre, et entreprennent de se branler mutuellement, dans une même et lente ondulation. Il n'a jamais nourri de fantasmes saphiques, mais il comprend désormais ce que le spectacle peut avoir de plaisant. Il se repaît de chaque soupir, et de ces gémissements qui s'entrelacent, au rythme de leur progression, l'une à l'intérieur de l'autre, l'une dans le secret de l'autre.

Lorsqu'elles entreprennent un 69 aussi gracieux qu'improvisé, couchées sur le flanc, il sent sa bite, devenue énorme, comprimée dans son jean, et dont un long filet visqueux s'écoule à l'avant de son boxer. S'il n'était pas en train de perdre les deux femmes de sa vie, il la sortirait et l'agiterait comme un forcené. Mais la peine est plus grande que l'affolement de sa verge. Pas de beaucoup, mais juste assez pour contenir son envie. Dès lors, il n'a rien d'autre à faire que les regarder s'offrir du plaisir. Justine lui donne à voir ses fesses, et toi tu fais face au témoin électronique, qui ne manque rien – pas un frisson – de leur équipée. À un instant, aussi fugace que peut l'être un clin d'œil, tu fixes la caméra. Il jurerait que c'est lui que tu regardes. Que c'est lui que tu défies, au cœur de leur jouissance, centre du cyclone qui les broie tous les trois.

Et moi, dans cette histoire, allez-vous me demander ? Je suis là, aux premières loges, sagement pliée sur un oreiller. Je me régale. J'ai beau ne pas les toucher, j'emmagasine les images que je parviens à fixer et leur délivre quelques clichés plus anciens. Ceux de leurs ébats timides, autrefois, quand elles se touchaient le con du bout des doigts. Mais ont-elles encore besoin de moi ? Que puis-je vous apporter, dorénavant, que vous ne trouvez ensemble, là, collées l'une à l'autre, abouchées, soudées par vos mains et vos sexes, fondues dans une même mouille sucrée-salée, prêtes à jouir bientôt de cette manière unique que vous connaissiez déjà, mais que vous n'aviez jamais vécue aussi fort ? Ce n'est plus le temps de la mémoire – mon temps – c'est celui qui remet les cons à zéro, qui réécrit le système de votre plaisir, qui redéfinit à jamais la sexualité que vous voulez pour de bon.

Et à ceux, comme Fred, esprits chagrins, qui pourraient se demander s'il ne manque pas un peu de queue là-dedans, vous opposez vos majeurs, vos langues et vos nez, que vous engouffrez aussi loin que vous le pouvez, assez

148

loin pour vous donner le plus langoureux des orgasmes.

Il éclate. Dans la lumière crue de sa chambre. Et dire qu'elles n'ont même pas tiré les rideaux ! Les voisins doivent se régaler. Ils goûteront long-temps la joie de vous voir ainsi. Car on peut dire à cette façon que vous avez de vous caresser, une fois la tension retombée, le front brûlant et humide, les cuisses trempées, que vous voilà parties pour une longue histoire.

Fred l'a bien saisi, lui aussi. Seul dans sa piaule de malheur.

Ce qu'il n'a pas vu, quelques heures plus tôt, c'est la gaucherie de vos premiers mouvements. Toi qui entres chez ton amie, encore secouée par ce que tu as perçu depuis l'escalier. Quand tu approches tes lèvres de Justine, celle-ci commence par se dérober. Peut-être un peu gênée d'avoir été surprise dans ses loisirs soli-taires. Ou bien est-ce ma présence dans sa main, la culotte à l'hippo, aveu manifeste de son larcin dans la poubelle du labo, qui la plonge dans cet embarras inhabituel.

— Qu'est-ce que tu me fais, là ?

— Ce que tu as envie que je te fasse.

— Ah ouais, tu crois ça ?

Justine se veut sur la défensive.

— Oui. Maintenant… si tu penses que je me trompe, dis-moi de partir tout de suite. Et je m'en vais sans discuter.

— Eh bien, vas-y !

La brune la met au défi.

Mais elle tend aussitôt une petite main potelée pour retenir sa longiligne amie. Presque une main d'enfant.

— Attends !

Tu te retournes, déjà triomphante, ou presque. Ce sourire de victoire, Fred ne le verra jamais. Il ne ressentira jamais l'intensité de cet instant, où le faible intervalle qui vous sépare vibre de désir contenu, et d'une convoitise qui demeure suspendue au bord des lèvres. Au tour de Justine de chercher celles de sa camarade. De lui donner ce baiser que vous vous êtes toujours interdit. Un peu d'électricité statique passe et vous saisit. Vous riez aux éclats. Vous prenez cela pour un signe. Vous n'imaginiez pas, il y a quelques jours encore, enfermées avec moi dans les toilettes de ce café, qu'une telle chose se nouerait entre vous. Peut-on succomber brusquement pour quelqu'un que l'on connaît depuis si longtemps ? Oui, la preuve.

Justine est comme libérée par cette première effusion. Revoilà la fille qui n'a peur de rien, et qui a envie de tout. Elle t'attrape par la main, prête à te tirer vers sa chambre, quand soudain tu te figes.

— T'as toujours ton caméscope ? demandes-tu.

— Euh, oui... Pourquoi ?

— Rien, une idée.

C'est à partir de là que vous vous filmez. Que vous immortalisez votre vraie *première fois*. Et, pour que tout soit bien clair, pour qu'il ne subsiste aucun doute quant à la nature de vos

150

intentions – non, ce n'est pas juste un petit jeu entre copines, ce n'est plus ça – alors vous songez à fixer cet instant.

Dans la chambre grise, au moment où vous êtes venues sur le petit écran, sirènes qui chantent de concert, Fred a plongé la tête dans ses mains. Posé ses paumes sur ses oreilles pour ne plus rien entendre. Mais, de l'autre côté de la cloison, à l'unisson des deux amantes, les cris d'un autre couple se sont élevés. Le brame rauque d'un homme. Les hululements perçants d'une femme. Un couple. *Un vrai*, selon les critères du mâle éconduit.

Sur le moniteur, les deux silhouettes si contrastées, Justine la mate, Célia la laiteuse, se rejoignent dans un demi-sommeil, immobiles. Vos chevelures dissimulent une fesse ou un sein, pudeur tardive. Par endroits, un reflet sur la peau signale une trace, luisante d'amour. Vous êtes bien, si bien. Vous pourriez demeurer comme ça une éternité. Ce n'est pas qu'une formule. Vous allez le faire. Votre silence n'est pas une fuite, mais bien un engagement. Vous sentez l'une et l'autre que si vous parlez maintenant, c'en sera fini. Alors vous vous taisez, réfugiées dans cette bulle de chaleur qui ne s'éteint pas.

Quand elle m'aperçoit à portée de main, Justine me saisit et me dépose sur le drap, pile entre vos deux visages, à égale distance de vos nez. Vous me humez, bercées par vos communs effluves. Je suis votre trait d'union. La culotte de votre révélation. Ce rapprochement n'est pas votre réussite, c'est la mienne. C'est donc pour ça que je suis ainsi faite, pour ça qu'on m'a donné ce pouvoir. Pour réunir ceux (et celles) qui doivent l'être. L'œil de mon hippocampe veille sur vous. Vous vous endormez enfin, emportées toutes deux jusqu'à la fin de la bande, belles et douces à en mourir.

Puis le gris de la neige électronique se fond dans celui de la chambre. Fred pleure. L'appareil s'éteint de lui-même. C'en est fini.

14

Épilogue

Deux semaines après le soir de l'escalier et de la vidéo, tu as emménagé chez Justine. Une arrivée qui s'est faite tout naturellement, sans accroc, chaque effet de la nouvelle entrante trouvant sa place dans les placards et tiroirs sans avoir à forcer.

Au labo, on n'a d'abord rien remarqué puis, brusquement, fait comme si cela avait toujours été. Certains, qui ignoraient l'existence de Fred, lequel n'était venu te chercher qu'en de très rares occasions, vous ont même soupçonnées d'avoir toujours été ensemble et de l'avoir caché dans un premier temps, pour ne heurter personne. De fait, vous n'avez eu à subir aucune remarque, aucune blague de mauvais goût. Que deux femmes aussi belles et vivantes puissent former un couple tombe presque sous le sens, tant vous formez un tout harmonieux, une sorte d'évidence esthétique et que vos confrères scientifiques acceptent comme une formule parfaite, et par là même, incontestable.

Fred, comme tous les hommes bafoués, a successivement menacé, geint, supplié, et puis il a fini par diluer son chagrin dans un océan de cyprine, dont Poopey fut un temps le premier fournisseur.

De temps à autre, vous vous offrez une escapade clandestine entre filles, à la chambre bleue, entre midi et deux. Vous prétextez une course à faire dans les grands magasins, et vous réfugiez plutôt dans les bras l'une de l'autre. Votre sexualité est devenue une terre quasi vierge, où chaque jour apporte son nouvel arpent à explorer. Comme vous cherchez un remède miracle contre l'érosion de la mémoire, vous êtes mues maintenant par la quête de votre libido jusque-là inexploitée.

Pourtant, vous ririez de bon cœur si quiconque vous qualifiait de lesbiennes. Vous ne vous sentez appartenir à aucune communauté. Ne souscrivez à aucune association. Ne fréquentez aucun bar ou aucune boîte pour « filles entre elles ». Vous êtes juste Célia et Justine, amoureuses, heureuses, liées par une passion enfin exposée au grand jour.

Quant à moi, vous me portez encore, chacune son tour. Quasiment sans relâche. Je ne dors jamais bien longtemps dans un tiroir. Je suis celle par qui le bonheur est arrivé. Vingt grammes de coton brodé dont vous entretenez le culte fétichiste. Vous êtes partagées entre l'envie de me mettre constamment, ct lc souci de ne pas trop m'user. Comme si votre relation tenait à la résistance de mes fibres dans le temps. En attendant, je m'imbibe comme une petite folle de vos sensations nouvelles. Et, à chaque fois que l'une d'entre vous me porte, c'est le plaisir de l'autre qu'elle perçoit, et qui monte en elle comme une sève, nutritive, bienfaisante. Moi, je finis par ne plus vous distinguer. Vos chattes ne font pour moi plus qu'une, ou presque. Je trouve même que vos parfums intimes finissent par se ressembler.

Ce matin-là, malgré toutes vos préventions, vous vous êtes résolues à me laver. Comme chaque fin de semaine, vous vous rendez au petit lavomatic du boulevard Voltaire, à quelques numéros de *votre* immeuble, sur le même trottoir. Les habitués du lieu vous reconnaissent, et vous acceptent, charmés eux aussi par tant de grâce réunie. Pour me préserver, vous ne m'ajoutez dans le tambour qu'en tout dernier lieu. Une fois que le reste de votre linge ordinaire a été tassé et pressé au fond de la cuve métallique.

— Ben... Elle est où ?

Accroupie devant la machine, Justine se redresse d'un coup.

— Elle est où *quoi* ?

— L'hippo ! Je l'ai laissée dans le sac pour la mettre en dernier... et elle n'y est plus !

— T'as bien fouillé ?

— Regarde toi-même si t'es si maligne !

La tension s'emballe au rythme des cycles de séchage qui saturent l'atmosphère de leurs accélérations stridentes. Vous qui filez un parfait amour, sans aucun mot qui dépasse, vous voici plongées pour la première fois dans le programme « dispute à 90° ».

— Merde... c'est pas vrai ! te lamentes-tu à voix haute. T'es sûre qu'on l'a pas tout simplement oubliée dans le panier, à la maison ?

— Ben non, c'te blague, j'en sais rien... Sinon je m'affolerais pas.

Ah, une fois de plus, si j'avais une bouche, si mon hippocampe produisait autre chose que des bulles dans l'eau savonneuse de la machine, j'en dirais des choses. Je parlerais de cette main gracile qui m'a dérobée dans le grand sac en plastique, trônant au sommet de la pile de linge cradingue. Je raconterais le parcours de cette gamine – quinze ans ? Seize ? – qui a aperçu mon hippocampe et n'a pas su résister, irrémédiablement attirée par ce petit animal dont elle a fait sa mascotte depuis l'enfance.

Elle est brune, un peu ronde, assez semblable à Justine, avec quelques taches de rousseur en plus, et des courbes potelées qui persistent sur les joues ou les cuisses. À sa manière de petite pomme, elle est vraiment jolie.

Une fois son larcin effectué, elle court sur le boulevard, à perdre haleine, et surtout sans se retourner. Elle entre dans un fast-food et, évitant la queue aux caisses et les vigiles, fonce vers les toilettes. Elle s'enferme dans une cabine vacante, puante, plongée dans une semi-obscurité.

Le slip anodin qu'elle porte tombe presque de lui-même sur ses chevilles. Avec la même

156

facilité, je le remplace sur les fesses rebondies. Hum... Son petit con est aussi frais et savoureux qu'un fruit qu'on vous ouvre sur un étalage de marché, prêt à être goûté.

Alors, presque malgré moi, je distille plusieurs semaines d'expériences cumulées. Telle une onde invisible, ma mémoire de culotte s'insinue en elle, *upload* sensuel des meilleurs moments dont j'ai pu être le témoin. Tout n'est pas de son âge, j'en ai bien conscience, et pourtant tout lui est transféré, en vrac, le dur comme le doux, le violent comme le tendre, le chaste comme le pervers. Elle en tremble, petite feuille pucelle dépassée par ce flot de sensations qu'elle ne connaît pas. Son ventre se contracte. Elle pousse un cri, me retire, puis me remet aussitôt, sans trop comprendre pourquoi.

Un jus inédit s'écoule en elle et vient me tremper. Elle a envie. De quoi, elle ne le sait pas encore, mais elle meurt de cette envie-là ! Il lui faut quelque chose en elle. Pas dans un an. Pas quand elle aura supposément l'âge. Maintenant ! Une bite ou quoi ou qu'est-ce ou qu'importe. Elle veut être emplie.

Voilà que je corromps la jeunesse. Voilà que j'affole les filles en fleur. Voilà que j'extasie sans déflorer.

Oh, c'est sûr, je n'ai pas fini d'en faire jouir, des filles...

10312

Composition
FACOMPO

Achevé d'imprimer en Italie
par Grafica Veneta SpA
le 20 février 2013.

Dépôt légal : février 2013
EAN 9782290034170
L21EPSN001011N001

ÉDITIONS J'AI LU
87, quai Panhard-et-Levassor, 75013 Paris

Diffusion France et étranger : Flammarion